JN013712

The HAWK of MAY
アン・ローレンス
斎藤倫子 訳
五月の鷹

The HAWK OF MAY
by Ann Lawrence

Orkney
オークニー諸島
Lothian
ロジアン
Britain
—この物語の舞台—
Rheged
レゲッド
Carlisle
カーライル
Kendal
ケンダル
Chester
チェスター
Mercia
マーシア
Wales
ウェールズ
Cornwall
コーンウォール

## 登場人物の系図

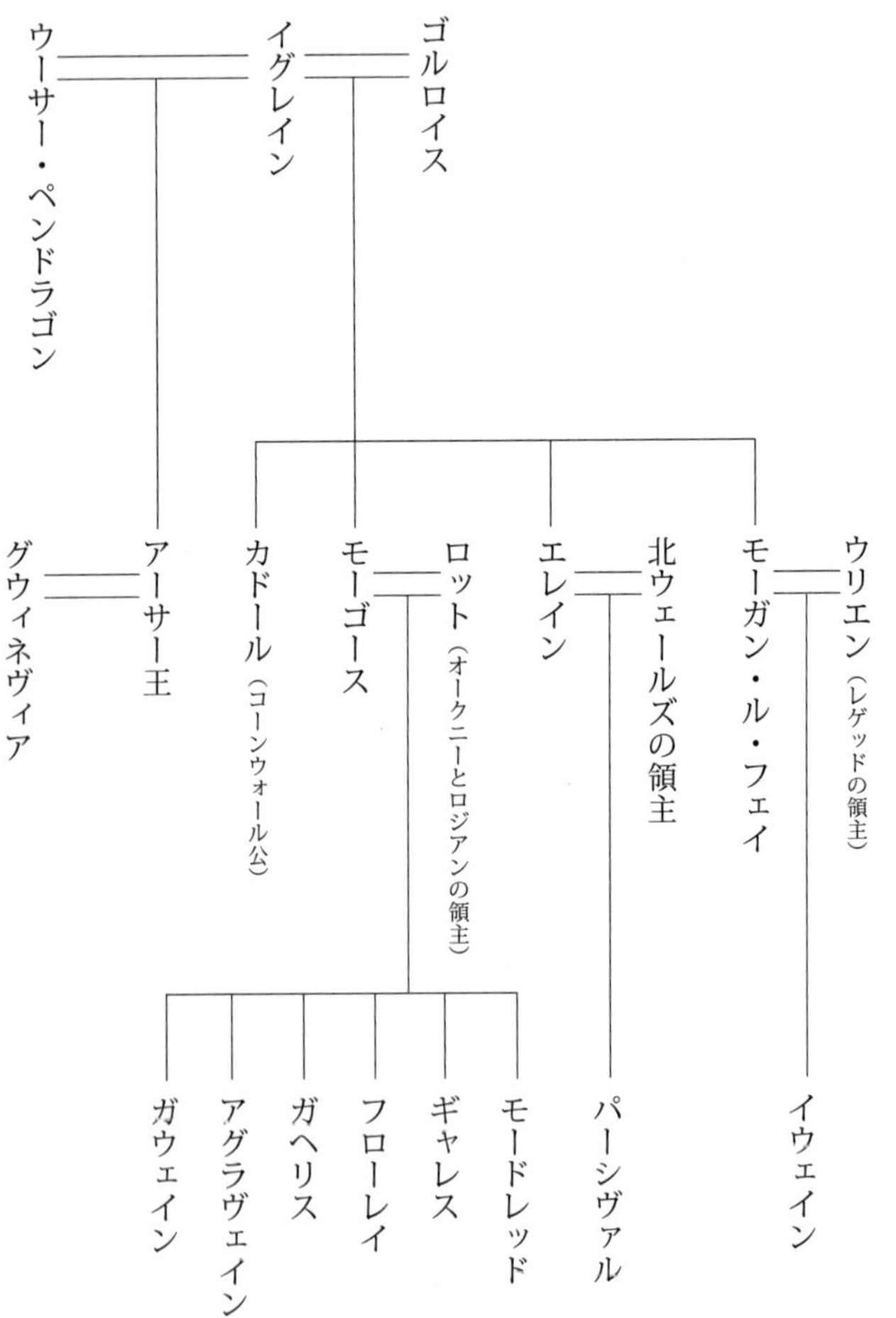

ゴルロイス
イグレイン
ウーサー・ペンドラゴン
ウリエン（レゲッドの領主）
モーガン・ル・フェイ
北ウェールズの領主
エレイン
ロット（オークニーとロジアンの領主）
モーゴース
カドール（コーンウォール公）
アーサー王
グウィネヴィア
イウェイン
パーシヴァル
モードレッド
ギャレス
フローレイ
ガヘリス
アグラヴェイン
ガウェイン

# まえがき

ウーサー・ペンドラゴンとイグレインのあいだに生まれたアーサーは、魔術師マーリンによってひとりの騎士に預けられ、その騎士の息子として養育された。成長したアーサーは、だれひとりとして抜くことができなかった剣を石から引きぬき、ブリテンの王に選ばれる。アーサーがブリテンの王になることを快く思わなかった北方の領主たち（このなかにはオークニーとロジアンの領主ロット王も含まれていた）がアーサーに戦いを挑んだが、アーサーはこのいくさに勝ち、さらに、長いあいだブリテンを苦しめてきたサクソン人を打ち破って国内を平定した。長かった戦乱の時代が終わった。

平和がつづくなか、雅（みやび）やかな宮廷生活が繰り広げられたが、陰謀を企（たくら）む者もいた。アーサーの異父姉モーガン・ル・フェイは、一度はアーサーの剣をすり替え、もう一度は毒を塗った服を贈って、アーサーの暗殺を企てた。こうしたなかで、国王アーサーは、魔術師マーリンや騎士たちに助けられながら、国内に秩序をうちたてようとする。

アーサーは優れた騎士を大勢かかえていた。騎士たちは、冒険を求めて旅に出、武勲をたてることをなによりの誇りとしていた。こうした騎士たちのなかに、ロットの長男でアーサー王の甥（おい）、ガウェインもいた。ガウェインとは、ウェールズ語で『五月の鷹（たか）』という意味である。

# I

どんよりとした空がおおいかぶさり、世界は、鉄のように硬く暗く、冬に閉ざされている。丘の斜面は、落書きでもされたかのように白いまだら模様になっている――砂のようにさらさらとした雪が、黒々とたたずむ丘のむこうから風に運ばれてきて、くぼみに吹きだまりを作っているのだ。谷の上の峠から、ひと筋の細い道がカタツムリの歩いた跡のようにうねうねとつづいている。道の脇を走る急流は、凍てついて鈍い光を放っている岩にぶつかり、音をたてて流れていく。道から少しはずれたところで、二羽のワタリガラスが野ウサギの骸をむさぼっている。

峠のほうからしみのようなものがゆっくりと動いてくる。馬に乗った男と犬が一匹。

馬が近づいてくると、カラスがゆっくりと飛びたった。不満気な声をあげてはいるものの、警戒しているような響きはほとんどない。男が乗っている赤褐色の馬より赤みを帯びた毛色の、細身で足の長い大型犬が、ふさふさの毛におおわれた足と尻尾を勢いよく動かして道から脇へ飛びだした。カラスのいたあたりを調べようというのだ。が、男が馬を止めて呼びもどすと、いっさんに駆けもどり、道の端に立って尾を振り、荒い息のままじっと主人を見あげた。

しばらくのあいだ、男は雪の上の鮮やかな血のしみに目を落としていた。

「雪のように白く、血のように赤く、カラスのように黒い」

犬と馬は、道々主人から話しかけられるのには慣れていた。もっとも、熱心に耳を傾けてはいるものの、まったく理解できない。そのことを、動物特有の率直な礼儀正しさで表している――犬は興味ありげに首をかしげ、馬は耳を立てた。

「なに、物語だ」主人はいいわけがましく説明を始めながら、上空で油断なく、辛抱強く旋回しているカラスをちらりと見あげた。「その昔、王子がいた。王子は、雪のように白い肌、血のように赤い唇、カラスの濡羽色のように黒い髪の女性しか愛することができなかった……と、まあこんな話だ」そんなことを思い出したことさえ気恥ずかしいと思っているような口ぶりだった。男は首を振ると、また馬を前に進めた。

馬と犬はまた自分たちの仕事にかえって、絶えずあたりの物音に耳をすまし、においをかぎわけながら進んでいる。男は再び物思いにふける。一行が十歩と進まないうちにカラスたちは獲物に舞いもどった。

馬にまたがっているのは若い男で、生成りの羊毛で織った格子縞の肩掛けを羽織り、亜麻布のずきんの上に羊皮の帽子を目深にかぶり、農夫がはめるようなだぶっとしたミトンの革手袋をつけている。が、この羊飼いのような服の下には、上等な白い毛織り地で作られた袖なしの上着をまとい、さらにその下に鎖かたびらやすね当てをつけている。武装した男——鞍から鋼の籠手と大兜がさがっているところを見ると、この男はどうやら騎士のようだ。男の甲冑は飾り気のない平凡なものだったが、脇にさげた剣の柄には金糸が巻かれ、柄頭には大きな赤い宝石が埋めこまれている。馬の鞍敷こそ刺繍を施したものではなく毛足の長い羊皮だったが、馬具の飾り鋲や留め金は金をきせられ、革に浮き彫りにされた模様はかつては金箔で輝いていたと思われる。

一見、羊飼いのようであって、騎士の武具を携えている……この若者の外見にはなにかしらちぐはぐな、ほんとうの身分をはかりかねるようなところがあった。

馬上の騎士と犬が道を下るにつれて、黒雲が垂れこめてきた。谷あいは凍るような冷たい濃霧におおわれ、谷川の音はくぐもり、一行は不気味な薄闇にのみこまれた。

騎士はふいに、息が詰まるような濃霧のなかでなにも見えなくなっていることに気づいた。が、どうということもなかった。というのも、数時間ほどまえに北へとつづく荒れ地で同じような不吉な霧に巻かれて道を見失ってからあと、ずっと道に迷っていることは自分でもはっきりとわかっていたからだ。谷を下ったところに人家があることをひたすら願って、手綱をもつ手をゆるめた。馬のほうが優れた方向感覚をもっているにちがいない。

息を吸うたびに、湿っぽく冷たい空気が喉にくいこむ。まつ毛や眉毛におりた霧はしずくとなり、そのまま凍りついた。騎士は肩掛けを引きあげて、鼻と口をおおった。できれば馬をもっと速く駆りたてたいところだが、ぐっとこらえて静かにゆったりと鞍にすわっていた。感覚を研ぎすまして進んでいく馬の集中を乱したくなかったのだ。

馬と犬は、落ち着いた足どりで、凍ってすべりやすい道を進んでいく。ときおり、耳をそばだて、鼻を鳴らしてにおいをかいでいる。

闇はますます深まり、真っ暗になった。夜のとばりがおりると、一夜の宿を見つけられるだろうと思っていた自信もぐらついてきた。目をこらし、耳をそばだて、前方に人が住んでいる気配はないかと探

してはいたものの、馬がふいに耳をぴくりと前方に倒して歩みを速めたときには驚いた。なにかがあるようだ。犬も満足気に喉を鳴らした。が、騎士にはなんの気配も感じられない。それから数分たってようやく、騎士にも遠くで吠える猟犬の声がきこえてきた。

百歩ほど進むと、馬はいきなり右に折れた。ひづめが敷石を踏む音がコツコツと響く。ということは、どのような道にしろ、まだ道をたどっているようだ。そのとき、また猟犬の声がきこえてきた。真っ正面からだ、と思うまに建物の輪郭らしきものが見えてきた。ぼんやりとした黄色い光に照らされて、闇のなかにかすかに浮かびあがっている。木の橋を踏むひづめの音が虚ろに響く。橋を渡りきったところに、幅のちがう二枚の扉がついた巨大な門がそそり立っていた。騎士の赤毛の犬がひと声鋭く吠えると、門のむこう側からいかにも獰猛そうな吠え声が返ってきたが、だれかが応対に出てくる気配はない。

騎士は待った。一分が二分になり、二分が三分になるにつれて、かすかな不安が胸をよぎった。このあたりのことはなにひとつ知らない。それどころか、自分がどこにいるのかさえわからない。このようなへんぴな場所で見知らぬ館をいきなり訪ねるなど、あまり分別のあることとはいえない。寒さと疲労に体は重かったが、一夜の宿はあきらめるしかない。立ちさろうとしたまさにそのとき、猟犬たちのけたたましい声が低いうなりに変わった。砂利を踏みしめる重い足音がきこえてきたかと思うと、狭いほうの扉が内側に開きはじめた。

わずかに開いた扉の間に大男の姿が現れた。片方の手で頭上にたいまつを掲げ、もう一方の手で扉を押さえて、それ以上開かないようにしている。犬を飛びださせまいとしているのだ。もっとも、男の膝の脇から大きなぶちの犬が頭を突きだして、威嚇するように歯をむいていた。旅の疲れのせいだろうか、騎士の目には、伝説の巨人が門の間に立ちはだかっているように見えた。男の顔にも、飼い犬と同じように、あからさまな残忍さが浮かんでいる。白い髪とあごひげは、たてがみのように突ったっていた。粗末なシャツ、羊皮でできた丈の長い胴着、ごついブーツといった質素ないでたちをしている。農夫のようでもあり、門番のようでもあり、このようにへんぴな地域では領主本人ということさえ考えられる。が、この男がどのような身分の者であれ、その表情からして、招かれざる客が歓待されそうにないことははっきりとしていた。

騎士は馬の上で深々と頭をさげ、「こんばんは」と快活に声をかけた。「一夜の宿を探しているのですが、どこへいったらいいか教えていただけませんか?」

男は、煙をあげて燃えるたいまつの明かりで騎士を照らしてしげしげと見ていたが、あとずさると扉を広くあけ、猟犬たちをうしろに押しやった。

「それなら、もうお探しになる必要はありませんな、ガウェイン卿」男は脇によけて道をあけると、騎士をなかに通した。

ガウェインは、門の奥の茫洋たる闇に踏みこむとき、いやな感じがした。さまざまなものがうごめいているのに、その姿が見えない。しかも、なにかが自分を待ちうけているような気がする。赤毛の犬は首のまわりの毛を逆立て、ゆっくりと左右に首を動かしている。馬はぴくりと耳を立てて、地面を軽く蹴っている。男が門を閉じた。思いがけず名前を呼ばれたガウェインは驚き怪しみながら、馬の上から霧のなかに目をこらし、霧から生まれた幻想を振りはらおうとでもいうように、いらだたしげに首を振った。やがて、それまで影としか見えなかったものが、その姿を現しはじめた。

ガウェインは、三方を建物に囲まれた前庭に立っていた。大男がもっていたたいまつは、門柱のたいまつ受けにもどされていた。同じようなたいまつが庭の奥で炎をあげている。母家の扉を照らすために灯(とも)されているのだろう。右手に並ぶ低い建物のあたりに、薄暗い光がぽつんと見える。ここはどうやら豪農の館のようだ。へんぴな地域でよく見られるように、この館も堀と頑強な防壁に守られていた。このような地域では、国王陛下の法にもせいぜい形ばかりの敬意が表されるだけで、身の安全は自分自身の手で守らなければならないのだ。

大男が猟犬たちを呼びよせた。ガウェインは馬からひらりと飛びおりると、片手でくつわを握り、もう片方の手を、飛びだすんじゃないぞとでもいうように犬の首輪にかけ、男がやってくるのを待った。またもや霧のせいにちがいない、距離感がくるっていた。渦まく霧のなかから男がふいに現れたような気がしたのだ。男は、巨人のように恐ろしく大きな姿でおおいかぶさってくるように思われた。が、向かいあってみれば、自分よりさほど大きな男ではなかった。

「あなたは、わたしの知らないことをふたつも知っておられる」ガウェインは明るくいった。「いったいぜんたいどうしてわかったのか、わたしの名前までご存じのようだが、わたしときては自分のいる場所もわからない始末だ！」

男はわずかに頭をさげた。

「ガウェイン卿、ここはゴーム谷です。わしはゴームの息子のグリムで。どうして名前がわかったか、ですと？」グリムは肩をすくめた。「赤毛の犬をつれ、赤毛の馬にまたがった赤毛の男が、冬至の晩にわしの館の門をたたいたとなりゃ、ほかにだれのことが考えられますかね？」グリムは、右手の薄暗い明かりを指さした。「厩はむこうです。だれか馬の世話をする者をやりましょう」

そういうと、グリムは母家のほうへさっさと歩いていった。そのあとを猟犬たちが不服そうについていく。よそ者を痛めつけてやれるせっかくの機会をふいにしたとでもいうように、肩越しに振り返っている。

ガウェインは鳥肌がたった。が、厩に馬を引いていく途中、ガウェインの良識というやつがたしなめる――このようにすぐに心を乱されていてどうする。この二日ばかりは、少ししか先へ進めなかったのだ。わたしがこのあたりにきているという噂がわたしの到着より先に伝わっていたとしても不思議はない。国王の甥ともなれば、人目を引かずに旅することなどできるはずがないのだ。このようにへんぴな地方でさえもだ。明らかに、あのグリムという男は、なんでもないことを謎めいたおおげさな話に仕立てて、秘密めかしたがる手合いだ。

厩の戸のすぐ内側にランタンがかけられていて、光を投げていた。グリムが騎士でないことはひと目で見てとれた。というのも、厩にはいくさ用の馬は一頭もなく、どうやらグリムの馬であるらしいどっしりした年寄り馬のほかには、雌馬が一頭と黒くて美しい雄の若馬が一頭いるだけだ。いちばん戸口寄りの馬房が空いていたので、ガウェインは自分の馬をそこへ入れた。馬は、かいば桶の上の馬草棚から干し草を引きだして、食べはじめた。ガウェインは鞍をはずしにかかった。

犬は厩のなかを元気よく走りまわり、そこらじゅうのものをまじまじと見てはにおいをかぎ、埃だらけの隅に鼻をつっこんでくしゃみをしている。グリムの馬たちが落ち着かなげにしていた。よそ者の音やにおいがするせいで、気がたっているようだ。隣の馬房で老馬が鼻息を荒らげて、仕切りの板を蹴った。ガウェインの馬は頭をぐいとあげて、自分に挑戦してくるとはいったいどんなやつか見てやろうとした。が、ガウェインは馬の鼻づらを下に引っぱると、額の白い流れ星をなで、頬をかいてやる。おもがいが当たるところがかゆいのか、頬をかいてやると喜ぶのだ。

「おとなしくするんだ。ここでは我々は客なのだから、控えめにふるまわなくてはならん」

馬は首を振った。控えめにふるまえだって？　慎み深さは騎士の美徳かもしれんが、そんなことはおれ様の知ったことか——そういっているようだ。

「もっと対面を重んじる主人をもつべきだったな」ガウェインは馬に話しかけながら、片手に握った干し草で体をこすってやる。馬は気持ちよさそうに耳を動かし、ガウェインがなんといおうと、頓着していない。

「たとえばケイ。あの男なら、おまえが荷馬かなんぞのように古びた厩の隅に押しこまれたりするのを許しはしなかったろう」ケイだったら、ここのあるじの無遠慮な態度にどうこたえたろう、ガウェインは顔をほころばせた。

「ケイなら」ガウェインがきっぱりとした口調でいいながら馬の肩を軽くたたくと、馬は振り返った。「この厩のなかをひと目見るなり、どの馬房がいちばん快適か見定め、そこに入っている馬を力ずくで追いだして、おまえに使わせるだろう。この厩で最上の馬房をな。ケイなら——」

「そんなことをしたら、どこかよそで宿を探すはめになったと思うけど」明るいかすれ声が飛びこんできた。

ガウェインはくるりと入り口のほうへ向きなおった。小柄な人物がランタンの下に立っている。上着は腰まわりを結ばずにゆったりと着ているが、ズボンは邪魔にならないよう裾から膝まで紐を巻いて押さえ、毛糸の帽子を目深にかぶっている。グリムがよこすといった馬番の少年にちがいない。少年はつかつかと入ってくると、ガウェインと馬をしげしげと見た。赤毛の犬が駆けより、少年の手足をくんくんかいでいる。

「なるほど、ここでは、あるじがだれかはっきりわからせるというわけか？」

「ええ、そう」犬の頭をなでながらも、少年の目はガウェインの馬に釘づけになっている。「厩へいけといわれたけど、自分の馬は自分で世話をしたいはずだって、こたえたんです」

少年が恐ろしげなあるじにつけつけとものをいっているところを思いうかべると愉快になり、ガウェインはほほえんだ。

「きみのいうとおりだ。だが、水を運んでくれるとありがたい。どこでくんだらいいのかわからないのでね」

少年は、まるで叱られたかのように唇をかんで、うつむいた。が、うなずくと厩から出ていき、二、三分もすると桶に水を入れてもどり、入り口を入ったところにおいた。少年は、ためらいがちにガウェインに声をかけた。

「藁もいる？　カラスムギは？」

「どこにあるか教えてくれたら、自分でもってくるよ」

この言葉は少年の気にいらなかったようだ。自分の馬は自分で世話をする――ガウェインは、さきほど少年がいったとおりのことを口にしただけのつもりだった。ところが、少年は、誤解されたと感じているようだ。仕事を怠けたがっているわけじゃない、といった顔つきだ。

「勝手を知っている者のほうが簡単だから。明かりがなくてもわかるし」

少年は、奥のはしごを駆けあがっていった。ガウェインの犬があとを追う。

ガウェインはおかしそうに少年の姿を目で追っていたが、藁の束が奥の天井の穴から下の暗がりに落ちてくると、集めにいった。そうすることで、ほどほどに折りあいをつけられると思ったのだ。藁の雨がひとしきり落ちてきたあと、二階の干し草置き場で物のぶつかる音や金属の当たる音がして、まもなく少年が桶にカラスムギを入れて降りてきた。ガウェインが馬に水をやるあいだ、少年は馬房の外に立って見ていた。

「それはグウィンガレッド？」

「そうだが」ガウェインは驚いた。「どうしてわかったんだい？」

「あなたの愛馬の名前くらい、だれだって知ってる」少年は、ばかにしたようにこたえた。「ただ、こんなふうにいつも乗りまわしてるなんて思わなかったから。馬上試合やいくさのときだけ乗るのかと思ってた」

「騎士だけでは戦士として半人前さ。馬に乗ってこそ、騎士は一人前の戦士といえる。騎士と馬とは共に暮らし、共に苦労を重ねなくてはならない。そうするうちに、やがて人馬一体の境地になるのだ」

「ふうん」少年はまじめくさった顔でうなずき、馬に目を走らせていたが、ガウェインのほうに向きなおった。「いくさには何回もいったことがあるの？」

ガウェインは水の桶を床におろすと、肩をすくめた。

「少しはな」狭い房のなかで馬の脇をそろそろとすり抜けて少年のそばまでくると、ガウェインはカラスムギの桶を受けとり、奥にもどって中身をかいば桶に入れた。

「初めていくさにいったのは、いくつのとき？」

「十三だ」ガウェインは笑みを浮かべた。「国王の従者なのだから、戦いの激しいところへいくようなこともないだろうと思った。ところがどうして、国王自ら先頭にたって戦われるということがわかった」

「騎士の称号を授けられたのはいつ？」

「十六歳のときだ」

「これまでにたくさんの人を殺したんでしょ？」

「さあな」

少年が満足していないことはありありと見てとれた。

「一騎打ちは？」少年はなおもしつこくたずねた。

「できることなら、一騎打ちなどしたくはないさ。おもしろ半分に自分の命を危険にさらす気などないからな。どちらかが死ぬまで戦うことになりそうだとわかったら、死ぬのはごめんだから、わたしはなんとしても勝つまで戦う。ところが、たいていの人間はそのような場面で、命をかけて戦いぬくことをせず、敵に降伏してしまう。いざとなれば死にたいと思う人間などいないさ」

「それじゃ、あまり勇敢だとはいえない」少年はがっかりしたようにいった。

ガウェインは少年に向かってほほえんだ。

「まあ、いずれ自分で経験してみることだ。どんな気がするものかわかるさ」ガウェインは肩掛けを手にとると、馬の背中に無造作にかけた。グウィンガレッドの世話をするあいだ、かいば桶の角にかけておいたものだ。

「どこへいくところなの？」少年は、ていよくあしらわれたというような面持ちをすると、突然、話題を変えた。

ガウェインは桶をふたつもつと、馬の横をすり抜けて出てきた。

「チェスターだ。クリスマス・イヴまでに着けるだろうと思っていたが、この分では無理のようだ」

少年は首を横に振った。

「大丈夫。ここからはすぐだから。オークニー諸島からきたの？」

「いや、ロジアンから。母のところに顔を出さなければならなくて、いってきたところさ」ガウェインは渋い顔でいった。

「でも、あなたの父上は――亡くなった父上は――、オークニーの王だったじゃない」少年が、嘘だといわんばかりにいった。

「オークニーとロジアンの両方さ。父方の家系はもともとオークニーの領主だったが、ここ何代かはロジアンの屋敷で暮らしてる」

少年はちょっと考えこんでいたが、口を開くとたずねた。

「なぜあなたは、オークニーとロジアンの王と呼ばれないの？」

「このブリテン全土の王はただひとりだと思っている」ガウェインはきっぱりといった。「いかなる立場の王であろうとも、自分を王と名乗って国王と肩を並べようなどという気はない」

「領地の王になったからって、アーサー王の家臣じゃなくなるわけでもないじゃない」少年はめげることなく、いいつのる。「それなのに、みんなはたいてい、あなたのことをオークニーの王子とさえ呼ばない――ただガウェイン卿っていうだけ。ただの〈ガウェイン卿〉だなんて。もし領地の王になったら、絶対にそんな呼び方はさせない」

「おそらく、きみならそうだろうな」ガウェインは少年に桶を返した。「それに、きみだったら、ひと晩じゅう厚かましい質問にこたえつづけるなどということも、おそらくしないだろう。さて、ほかになにかここですることがあるかい？」

少年は、感情を害されたというようにしかめ面をした。

「いいえ」そっけなくこたえると、少年は桶を戸の脇の壁にかけた。「お部屋に案内します」

少年がかがんで鞍袋を取りあげようとするのを、ガウェインは止めた。

「それはわたしがもとう。いくら男といってもきみはまだ子どもだ、きみには重すぎる」ガウェインは片手で鞍袋を取りあげると、もう一方の手で兜と剣をもった。「きみのご主人は、もっとおとなをよこすべきだったな」

振りむいて犬を探したが、見あたらない。ガウェインは口笛を吹いて、犬を呼んだ。二階の干し草置き場でなにやら騒々しい物音がしたかと思うと、犬は足をもつれさせるようにしてはしごを降りてきた。元気いっぱいで、いかにも満足しているようだ。犬はガウェインの手首をくわえると、じゃれて振りまわそうとした。少年は壁にかかっていたランタンをはずすと、ガウェインの先にたって厩を出た。ガウェインが外へ出ると、扉を閉めながら少年がいった。

「こう見えても、あなたが騎士の称号を授けられたときとおない年です。もっとおとなをよこすべきだといったって、ほかにだれもいないんだから、しかたないでしょう――料理人のおばあさんはいるけど」

少年はガウェインを見あげてにやりと笑うと、毛糸の帽子を脱いだ。ガウェインは息をのんだ。豊かな金髪が滝のように流れおちたのだ。

「グリムの娘のグドルーンよ」馬番の少年はいった。

あるじの娘に従って前庭を横切りながら、ガウェインはきまりが悪くて、落ち着つかなかった。まったくいまいましい。ここの住人はだれもかれも、芝居がかったふるまいをしては相手を煙にまくのが趣味なのだろうか。が、思いを巡らせているうちに、すべては単なる誤解から生じたことであって、悪意があったわけではないのだろうと思えてきた。娘がいったように、ここには娘とその父親と料理人の老婆しかいないのなら、おそらく娘は少年同様に仕事をしているのだろう。とすれば、ばかげた変装をしているのではなく、あれはふだんの仕事着なのだ。あの娘にしてみればいつもの服装だから、自分が少年とまちがわれているなど思いもよらぬことだったろう。〈男〉といわれたときに初めて、誤解に気づいたのだ。ただ、それまでも、わたしのふるまいをひどく奇妙だと思っていたにちがいない。なにしろ、男に対するような話し方をしていたのだからな。若い娘にいっては失礼にあたるようなことを口にしなかったろうか。

明かりの灯った玄関ポーチに向かう途中、ガウェインは立ちどまると、庭のあちこちをかぎまわっている犬を呼んだ。犬は駆けてくると、取っ手の輪に手をかけたまま扉の前で待っていたグドルーンに飛びついた。ガウェインは犬を叱りつけ、グドルーンに詫(わ)びた。このささいなできごとがふたりのあいだの気まずい雰囲気を和らげたようだ。

「わたし自身の失礼なふるまいも詫びなくては。その、気づかなかったものだから……」

「かまわないわ。淑女のようには見えないものね」

グドルーンは扉を押しひらくと、ガウェインを天井の高い広間に請(しょう)じいれた。広間のなかは、さまざまな影がひしめきあって薄暗い。手前の壁の大半を占める石造りの暖炉には、火が入っている。グドルーンは、広間の奥できらめいている光に向かって歩きだした。暖炉に目を向けていたガウェインは、あとにつづこうとグドルーンのほうへ向きなおった。そのとき、暖炉のそばでなにかが動いた。再び暖炉へ目を向けると、赤褐色の手織り地の服を着た腰の曲がった人影が暖炉の前を横切るのが見えた。料理人の老婆にちがいない。老婆はガウェインのほうを見あげたが、いっこうに気にかけるようすもない。浅黒いしわだらけの顔と鋭い黒い目がちらりと見えた。まるで年寄りのめんどりみたいな顔だ。だが、ほんの一瞬、その年老いた顔のなかに別な顔が見えたような、なにげなくこちらを見た目のなかに執拗（しつよう）で生々しい関心が浮かんだような気がした。はっきり見えていたら、それがだれの顔かわかったにちがいない、とガウェインは思った。

　しかし、それはほんの一瞬のことで、目にしたものがなんだったのか、あるいはそもそもほんとうに目にしたのかどうか確かめるまもなかった。赤毛の犬がガウェインの足をそっと押した。まるで、あの娘から離れてはいけないといっているようだ。娘のもっているランタンは上下に揺れながら、もう広間のなかほどまで進んでいる。あわててあとを追おうと一、二歩進んだところで、ガウェインは衣装箱の角かなにか、陰に隠れていてよく見えないものにつまずいた。いまいましい。腹立ちまぎれの声をあげまいと自分を抑えているうちに、老婆のことはすっかり忘れてしまった。

　広間の奥には木造の中二階が張りだし、中二階を支えている柱にランプが据えつけられている。グドルーンは、このランプに向かって歩いていた。中二階の下に扉があり、板石を敷いた狭い廊下へとつづいている。廊下に出て少し進むと、左手にまた扉があり、娘は脇によけてガウェインをなかに通した。ガウェインはなかへ入ったとたん、まぶしさに目がくらみそうになった。これまで通ってきた暗がりに目が慣れていたからだ。照明という点では節約を心がけているらしい家のなかで、この室内は驚くほど明るかった。奥の暖炉では赤々と炎があがり、天井の中央からさがっている鉄の輪の燭台(しょくだい)には太いロウソクが六本も灯されている。めぼしい家具といえば、深紅のカーテンがさがった天蓋付きの大きなベッドくらいだ。ベッドには毛皮の上掛けがかかっている。ベッド脇の小さなテーブルにおかれた燭台に、さらに三本のロウソクが灯されていた。横長の衣装箱がふたつ。ひとつはベッドの足元にぴたりと寄せてあり、もうひとつは部屋の反対側の壁に寄せてある。

　ガウェインは娘を振り返った。

「ちょっと待ってくれ。どう見ても、ここはだれかの寝室だ。ほんとうにわたしが使わせてもらっていいのかい?」

「もちろんよ」グドルーンはじれったそうにこたえた。

「だが、すでに部屋が暖まっているし、準備万端整っていたようじゃないか。だれかがここを使うはずだったのだろう?」ガウェインはくいさがった。

「あなたのために整えておいたのよ」

　ガウェインはゆっくりと部屋のなかほどまで入っていくと、鞍袋を床におろし、あたりを見まわしてから、兜と剣を壁際の衣装箱の上においた。犬は家具に近より警戒するようににおいをかいでいたが、すぐに部屋のなかを大胆に歩きまわりだした。

「どうして、わたしがここにくるとわかったんだい？　どうにもわけがわからんな」

娘は肩をすくめた。

「あなたがこっちに向かっていることは知ってたし、ほかに泊まれるようなところなんてないもの。ちっとも不思議じゃないわ」

この娘はわたしとまともに目をあわせない——が、ガウェインはそんな思いを振りはらうと、笑顔をつくった。

「不思議じゃないだって？　この人里離れた凍りつくような土地でふかふかのベッドに横になれるとは、まさに奇跡としか思えないがね！」

グドルーンがきっとしていった。「あたしたち、野蛮な暮らしをしてるわけじゃないわ」

ガウェインは申し訳ないというように頭をさげ、詫びようと口を開きかけた。が、それよりも早く、グドルーンが言葉をつづけた。

「武具をはずすの、手伝いましょうか？」

ガウェインはかぶりを振った。「自分でできる」

「じゃあ、もういくわ」そういいながらも、戸口でぐずぐずしている。

部屋のなかを調べおえた犬が扉のそばにもどってきて、グドルーンの手のひらに鼻を押しつけた。娘は犬を見おろして、いった。「なんて名前？」

「ゲラート。ほら、あるじの留守中に幼子をオオカミから守ったという勇敢な犬の名前だ。こいつにも、そんなふうになってほしいと思ってね」

娘はうなずいた。犬の耳をかいてやっているが、うわのそらといったふうだ。部屋を出るきっかけがつかめないというようでもあり、逆になにか部屋にいる口実はないかと探しているようでもあった。

「この犬は広間に入れないほうがいいわ。猟犬たちがかかってくると思うから」グドルーンは部屋のなかを見まわした。この娘は単に話を引きのばす口実を探しているだけだ、まちがいない――ガウェインは思った。

「あれはなに?」娘は鞍袋を指した。

「あの袋?」ガウェインはけげんそうにききかえしながら、少々いらだってきた。今はとにかく、節々の痛む体をあの暖炉の前で休めたいのだ。早く出ていってほしい。あの娘の気分を害さずにいう方法はないものだろうか。

「ううん――その上の――星みたいなもの」

「ああ、あれか」ガウェインは気のない笑顔をつくった。「五線星形――わたしの〈印〉だ。わたしのことをいろいろと知っているのに、あの〈印〉のことは知らなかったのかい?」

グドルーンは、ガウェインをきっとにらみつけた。まるで疑っているような目つきだ。「だって、あなたの〈印〉はグリフィンじゃないの」

「グリフィンは家紋で、五線星形はわたし個人の〈印〉さ。騎士の称号を授けられたときに、魔術師マーリンから贈られたものだ」

ガウェインの説明にもかかわらず、グドルーンは顔をしかめた。「あの形にはどんな意味があるの？」

ガウェインは肩をすくめた。「立派な騎士になるためにはなにが必要かという教えのすべてを表している——つまり、五本の指、五官、五つの徳。そして、これらは、キリストの五つの傷、それから聖母マリアの五つの喜びと深い結びつきがあるのだそうだ。だが、今ふいにきかれても、細かいところまでは思い出せそうにない」

「あれは魔術に使うものよ」グドルーンが顔をしかめていった。「本で見たことがあるわ」

どのようなことであれ、本に書かれてさえいれば魔術のことにちがいないといった口調だ。

「あれはただの〈印〉だ。わたしの知るかぎりではな」

ガウェインは、この話はこれでおしまいだといわんばかりにいいきった。言葉がとぎれて沈黙がながれたが、それを埋めようともしなかった。

「さあ……」グドルーンはあとずさって部屋を出た。「そろそろ夕食の時間よ。身づくろいができたら、すぐにきてちょうだい」ガウェインのむだ話のおかげですっかり引きとめられてしまったといわんばかりに横柄な態度でいうと、扉を閉めた。

ガウェインは突ったったまま、思わず顔をほころばせた。十六だって？　そうなのかもしれん。だがどう見たってせいぜい十二くらいにしか見えないが。

ガウェインは暖炉のそばへいくと羊皮の帽子とその下にかぶっていた亜麻布のずきんをベッドの足元

の衣装箱の上に脱ぎすて、指で髪をすいた。髪は、実際には赤毛というより明るい薄茶色だった。それから白い上着を脱ぎ、鎖かたびらの襟元をゆるめて脱いだ。鋼でできた鎖かたびらの重さといったらない。ガウェインは肩を動かして凝りをほぐし、解放感を満喫してから、板金のすね当てをはずしにかかった。

鋼でできた騎士の皮をはいでしまうと、信じられないほど身軽に感じた。これまでほとんどいつも武具をまとっていたため、厄介なものだと思うことはめったになかったが、それでもひとたび脱ぎされば、その身軽さを感じないわけにいかなかった。それはちょうど、酒に酔っているときのような心地よさだった。ガウェインは、部屋のなかを歩きまわって解放感を味わいながら、鎖かたびらの下に着ていたキルトの鎧下（よろいした）のボタンをはずして脱ぎすてると、ベッドの足元の衣装箱の上に腰かけて、暖炉の火にあたった。

前かがみになって両肘を膝についたガウェインは、無意識のうちに左手をさすっていた。右手の親指が左の手のひらの、ぎざぎざした星形の傷跡をなぞっている。傷は昔のものでとうに治っていたが、冷えこむ日にはうずくのだ。が、そのことに不平をいう気はなかった。傷くらいですんで運がよかった、と魔術師のマーリンはいった。片手を失わずにすんだばかりか、まだちゃんと使えるのだからほんとうに幸運だと思わなければな、と。ガウェインは開いていた手を握ると、暖炉の火を見つめた。心地よいぬくもりのなかでほっとしていると、体の節々が疲れを訴える。ゲラートはガウェインの前にくると、炉端に長々とねそべった。

扉をノックする音に、ガウェインとゲラートはびくりと体をこわばらせた。

犬は跳ねおきると、うなり声をあげた。ガウェインはすぐに、シャツにタイツというあられもない格好をしていることを思い出し、立ちあがってようすをうかがった。再びノックの音。ああ神よ、我に忍耐心を与えたまえ。あの娘、今度はなんの用だ？

ガウェインはキルトの鎧下を頭からかぶりながら扉に向かったが、扉を開いてみると、だれもいなかった。さきほど庭で感じたわけもない不安がふとよみがえり、心臓が大きな鼓動を打った。が、すぐに、目の前の床にタオルをかけた洗面用の鉢と水差しがおかれているのに気づいた。ガウェインは水差しの脇腹に触れてみた。やはり、なかは湯だ。扉のきしる音がして、廊下の端にぼんやりとした明かりが現れたかと思うと、広間に通じる戸口に背の曲がった人影が一瞬、浮かびあがった。「ありがとう！」声をかけたが、老婆は振り返りも立ちどまりもせずにいってしまった。

ガウェインは赤毛の犬を見おろした。犬はガウェインの足に体を押しつけて、不審気に老婆が姿を消した方向を目で追っている。

「おまえ、急にひどくびくつくようになってしまったじゃないか」ガウェインが厳しい口調でいった。

ゲラートは主人に向かって目をむいた。主人が口にした言葉、それも不当な非難の言葉の意味がよくわかっているとでもいうようだ。

旅の汚れを落とし、田舎屋敷とはいえそれなりに夕食の席にふさわしい服をつけると、ガウェインは剣を手にとったが、迷ったあげくに元の場所にもどした。ふだんは、武器を帯びて食事にいくなどということはしない。それなのに、なぜ今夜はそうしたいという思いに駆られるのだろうか。わけがわからなかった。なにかがおかしいと感じる感覚。その一方で、わけのわからない感情にいともやすやすと振りまわされている自分へのいらだち。いったいこれはどうしたことだ、ガウェインは原因をつきとめようとした。

確かに、この家には奇妙なところがあった。屋敷はかなりの広さのようだ。あるじはなかなかの資産家にちがいないはずだが、この屋敷に住んでいるのは三人だけだという。なにか不運に見舞われて、落ちぶれてしまったのかもしれんな……ガウェインは、改めて部屋のなかを見まわした。が、そうであったとしても、見た目にはわからなかった。あるじはぶっきらぼうだが、没落した屋敷ではとうてい望めないようなもてなしをしてくれている。それでは、妙に落ち着かないのはそのせいなのか？　落ちぶれたあるじが高貴な客を手厚くもてなそうとしているせいで、なにか下心があると感じるのか？　いや、そういうことではないような気がする。

ガウェインは、いった先々で感じる直感というものを大切にする習慣が身についていた。

オークニーの王子ガウェインは、これまでの人生の大半を平穏とはいいがたい世界で過ごしてきた。戦いの嵐が吹きあれる王領で子ども時代を過ごし、十一の年に叔父である国王の小姓として宮中にあがった。そういうわけで、肉体を脅かす荒々しい危険と宮廷内で巧妙に仕組まれるさまざまな陰謀に対処するすべについては、早くから訓練をつんでいた。そのため、ガウェインは感覚が研ぎすまされて、愛馬や愛犬と同じくらい本能的に危険を察知することができるようになっていた。そして、まさにこのときも、この家に泊まるくらいなら雪の吹きだまりのなかに寝たほうがましだ、と全神経が叫んでいた。

しかし、ガウェインにはなぜなのかわからなかった。確たる証拠がないのに、自分の受けた印象だけで行動を起こすということもできなかった。

ガウェインは顔をしかめた。疲れていた。今日の道のりは思っていた以上にきつかったし、道に迷うというへままでおかした。こういった状況では、まわりのことがらに過敏に反応しやすいものだ。少しばかり変わったことがあると、それをおおげさに凶兆だと思いこんでしまう。

ガウェインは短剣をベルトにつるすと、扉へ向かった。ゲラートが立ちあがり、ついてこようとする。

「だめだ、おまえはここにいろ」

犬は不満気に鼻を鳴らしたが、あくびをすると、前足に頭をつけ、おずおずと伸びをした。それから、ふさふさした尻尾をうしろに伸ばしてどさりと床にふせ、なにかいいたげに主人を見あげた。

では、こいつも感じているのだな。また不安が頭をもたげたが、それを押しやるようにして、ガウェインは部屋を出た。

ざっと見渡したところ、広間はさきほどより居心地よさそうに見えた。部屋の中央に長いテーブルがおかれていた。枝分かれした燭台が、テーブルと食器棚の上にある。テーブルには木の皿と椀が並べられ、上座の大きな肘掛け椅子の前に金箔をはった角の杯がおかれている。だれのものかは一目瞭然だ。老婆が足をひきずりながら暖炉のまわりを歩きまわり、炉床の両脇の石造りの棚に蓋つきの皿を並べている。

ガウェインが歩みよると、老婆は顔をあげ、にこりともせずにうなずき、暖炉の左手の暗がりにのろのろと入っていった――ただの老婆ではないか、どこといって怪しげなところがあるわけでもない。

ガウェインがひとりきりでいたのもそう長いあいだではなかった。暖炉を背にして立っていると、小柄な人影が奥の中二階から木の階段を降りて、こちらへ歩いてきた。落ち着きはらっているようすが少々わざとらしい。質素な装いとはいえ、今は少なくともドレス姿で、とても馬番には見えない。娘は、暖炉とロウソクが放つ明かりのなかへ入ってくると立ちどまって、まるでガウェインなど目に入らないといったふうに食器棚の上の酒杯をちょっと動かした。どうやら、その変身ぶりに褒め言葉が贈られるのを待っているようだ。ガウェインは前に進みでると、うやうやしく腰をかがめた。

「人里離れた土地で行き暮れたと思っていたものを。これほどすばらしいもてなしを受け、魅力的なお嬢さんに迎えていただけるとは夢にも思わなかった」

「ガウェイン卿、あたしたちは野蛮な暮らしなんかしてないって、いったでしょ」グドルーンがいった。「お客様のもてなし方くらい知ってます」

グドルーンは軽蔑されたと思いこんだようだ。そういうつもりではないのだとガウェインがいうより早く、玄関の扉が勢いよく開き、この家のあるじが氷のように冷たい風とともに広間に入ってきた。猟犬たちがすぐうしろに従っている。

ガウェインの脳裏には門を開いてくれた無骨な大男の印象がこびりついていたから、入ってきたグリムが屋根を支える高い梁(はり)にぶつからぬよう頭をかがめたとしても、さして驚かなかったろう。が、みだしなみを整えたグリムを見て、そのような思いは瞬時にふきとんだ。あるじもすっかり見ちがえた。もてなし役として恥ずかしくないみだしなみで、毛皮の縁飾りがついた黒いガウンをまとい、髪とあごひげに櫛がとおっている。が、それにもかかわらず、どこから見ても相変わらずぞっとするような雰囲気を漂わせていた。そのため、にこやかに挨拶されたときにも、ましな応対をしてくれるようになったとは、とうてい思えなかった。それどころか、考えるより早く〈残忍〉という言葉が頭に浮かんだ。これこそこの男にぴったりの言葉だ、という気がした。

しかし、いぶかしく思う気持ちを少しも表に現さず、ガウェインは腰をかがめると、もてなしに対する礼をのべた。

「それでは、なにもかもお気に召していただけたというわけですな、ガウェイン卿?」グリムはとびきり愛想よくいってから、ちらりと娘のほうを見た。「それは結構! これからのもてなしも気にいっていただけるとよいが」そういって、ガウェインの腕をとると、テーブルの上座の大きな椅子へ導いた。「さあ、おかけください」

ガウェインは、一瞬ためらった。するとグリムの愛想のいい表情がかき消えた。

「なにかお気に召さぬことでも?」グリムが冷ややかにいった。

グドルーンがふいに体をこわばらせた。それから、なにか危険を知らせようとするかのように鋭い目でガウェインを見た。

「いやいや」ガウェインは、くったくのない声でこたえた。「ただ、これはあなたの椅子だと思ったもので」

「ここにある家具は、すべてわしのものです」グリムは怒りに顔をゆがめながら、轟くような声でいった。「ということは、わしのお勧めする椅子はどれもお気に召さぬということですな？」

「とんでもない」ガウェインはあわてて腰をおろした。「礼を尽くしたもてなしに感謝しています。ただ、ひと言いわせていただくなら、自分がそれにふさわしい人間でないということをよく承知していますので」

　ふつうなら笑い話になるところだが、そういう雰囲気ではなかった。ほんとうにばかばかしいできごとだった。にもかかわらず、そこにはなにか不気味なものがあった。

　ガウェインの言葉に、グリムの機嫌がたちまちなおった。

「ガウェイン卿、ずいぶんとご謙遜を」グリムは大声をあげると、ガウェインの肩をたたいた。「わしらには、国王陛下に忠誠を誓った騎士をおもてなしできる機会なんぞ、めったにありませんのでな。陛下のご親戚となれば、なおさらのこと」

「では、国王に対する敬意ということで、身にあまるもてなしをお受けします」ガウェインはまた、頭をさげた。「わたし自身には、敬意を表される資格などなにひとつないので。ただ、国王の血筋にあたるというだけのことです」

　グリムは大笑いした。

「若様、よくぞおっしゃられた！」グリムは声をあげた。「グドルーン！　お客様にワインだ！」

　グドルーンは、食器棚においてあったワインをとりにいった。ガウェインは手を貸そうとあわてて立ちあがりかけたが、グリムにぐっと肩をおさえられた。

「ガウェイン卿、どうぞそのまま」グリムは強い口調でいった。「わしらにお任せねがいましょう」

ガウェインはまた、娘があの不安気な、危険を知らせるかのような視線を送っているのに気づいた。

食事はこれまで口にした最上のものにもひけをとらなかったが、まちがいなく最も気まずいものだった。グリムは自ら水とタオルをもってきて、ガウェインの椅子の傍らに召使いのようにひざまずくと、ガウェインが手を洗うのを待っていた。さらに、娘とともに給仕をするといってきかず、給仕を終えてからようやくガウェインをはさんですわる始末だった。ふたりは、料理が運ばれてくるたびにこれを繰り返した。ガウェインが大きな角の杯に触れただけで、グドルーンはワインの入った水差しを手にとり、ガウェインが飲みほしたとたんになみなみと杯を満たそうと待ちかまえた。といって、杯をあけようとしなければ、すぐにグリムの声がとんでくる。「さあさあ、ガウェイン卿。このワインがお口に合いませぬか？」

はしゃいだ、からかうような口調にもかかわらず、その裏に、ほんのささいなことにもたちまちかんしゃく玉を破裂させそうな、いや、それどころかその機会をうかがってさえいるような気配が感じられた。グリムのわざとらしいはしゃぎように隠されているものがあざけりなのか、それとも脅しなのか、ガウェインははかりかねた。グリムはしきりに軽口をたたき、ガウェインのちょっとした冗談にもすぐさま大笑いする。が、その裏で冷ややかに油断なく機会を待ちかまえていて、少しでもガウェインがしくじったら——しくじったら、そのときにはいったいどうなるのだろうか？

グドルーンは、父親のようにははしゃいでいなかった。グリムはときおり娘をちらりと見たが、娘のほうは父親と目を合わせようとせず、ほとんど口をきくこともなかった。ようやく食事が終わると、グドルーンはテーブルを片づけはじめた。ガウェインは今度もまた、手を貸したいと思ったが、グリムに冷酷なまなざしでひとにらみされて、動くことができなかった。やがて、ワインの入った水差しと杯だけを残して、テーブルがすっかり片づけられた。グドルーンは、それまでと同じように黙りこくったまま、ガウェインの角の杯と父親の錫(すず)の杯に再びワインを満たし、自分の席にもどった。

グリムは、両手の間で揺すっていた杯を見つめたまま一瞬冷ややかな笑みを浮かべたかと思うと、ガウェインに視線を移した。

「あなたが、格式ばった若い連中とはちがうとわかって、うれしく思っておったのです。あの連中ときたら、よその家にきて自分の家のやり方はこうだなどと指図し、それを礼儀正しいなんぞと思っておるのですからな」

「そんな無礼な連中がいるのですか?」ガウェインは礼儀正しい口調できかえしたものの、心のなかではため息をもらしていた。ここまでのもてなし方がいかに風変わりであったとしても、今夜の話題はおきまりのコースをたどることになったようだ。これまでにうんざりするほど何度も、中年の男たちがワインを飲みながら最近の若者やその行儀作法の悪さについてこぼすのをきかされたものだ。グリムのような切りだし方をする相手は初めてだったが、同じ話題にちがいない。

「いますとも」グリムは手の甲で口をぬぐった。「ほんとうですよ! 扉をあけてやる。すると、連中はいう。『いやいや、あなたがお先に』とね。椅子を勧める。すると、『これはあなたの椅子だ。あなたがすわらなくては』なんぞという。料理を出す。すると、『あなたに給仕をさせるわけにはいかない』といってきかない。その家のあるじに指図をするとはな！　だが、わしはその手の若僧(わかぞう)をへこます手っとり早い方法を心得ておるのでね——こういってやる、『わしのもてなし方が気に食わんのなら、我慢することはない』とな。それから、堀にぶちこんでやるんです！」

わたしももう少しで堀にぶちこまれるところだったのだろうかとガウェインは思ったが、笑みをつくって、いった。「あなたに指図するような無作法者がいるとは思えませんが」

「なに、いないですと？　心からもてなそうとしているあるじに逆らうことが、無礼なことではないと？　昔からいわれているじゃありませんか、〈郷(ごう)に入っては郷に従え〉とね。わしの座右の銘です」

「あるところでは礼儀正しいふるまいが、ほかのところではそうでない——単にそういうことではないのですか？」ガウェインは用心深くいってみた。「宮廷の作法は——」

それ以上話をすすめることはできなかった。

「宮廷の作法！」グリムは軽蔑しきったような声をあげると、振りむいて、暖炉に唾を吐いた。作法の話はいかなるものであれ、やめにしたほうがよさそうだ、とガウェインは思った。「宮廷の作法なんぞ、厚顔無恥な不義密通をうまくごまかす隠れみのだ！　若い男たちはあれやこれや上品ぶったお世辞をいいながら、よその男の女房にいいよっている！」

ガウェインは噴きだしそうになって、こらえた。

「ご婦人方に贈る言葉に、なにひとつそのような下心はありません。請けあいますよ」ガウェインは、できるかぎり真剣にきこえるようにいった。「深い意味があるわけじゃない——褒め言葉のゲームといったところで」

グリムが鼻を鳴らすと、グドルーンがあわてて口をはさんだ。「ガウェイン卿には心に決めたご婦人がいるの？」

ガウェインはほほえむと、かぶりを振った。

「王妃グウィネヴィア様はどうなんで？」グリムが口をはさんだ。組んだ腕をテーブルについて、身をのりだしている。「あなたは、王妃様のお供を務める騎士、つまり王妃付きの騎士でしょうが？」

グリムの声にはなにかを暗にほのめかしているような不快な響きがあり、ガウェインは警戒しながらグリムの顔を見た。一瞬、グリムの顔にいやらしい笑いがかすかに浮かんだ。これほど遠くまでゴシップが届いていようとは！　ケイが、自分の舌をしっかり上下の歯ではさんで動かないようにすることを覚えてくれればよいのだが。しかし、これはあまり期待できそうになかった。ケイは、なにかしらおもしろいと思うことがあれば、黙っていることができない男なのだ。意地の悪い連中がそれにおひれをつけるだろうなどとは考えもしない。

ガウェインは肩をすくめた。「国王は、ご自身の結婚披露宴でわたしに騎士の称号を授けてくださり、王妃の擁護者という栄えある地位につけてくださった——おそらく、ご存じのことと思いますが」

グリムが、まぶたのたるんだ目を細めた。

「もちろんですとも。おそらく、それであなたが王位継承の最有力候補になったというわけですな？」

またまたゴシップ。国王のお気に入りはだれか？　最も影響力があるのはだれか？　そして、最近もっぱら噂されていることといえば――もし王子がお生まれにならなかったら……？　ガウェインは、またも驚いていた。グリムが、宮廷のことをあのようにあからさまにあざけりながらこのようなゴシップに耳を傾けているばかりか、その内容に関心をもっているとは。しかし、ガウェインはあるじがほのめかしていることには気づかないふりをして、困惑したようにわずかに顔をしかめながらいった。

「国王の甥たちのなかでわたしがいちばんの年長だから、そんな噂がたつのでしょうが、国王はわたしたち甥を分けへだてなく扱ってくださる。もし王子がお生まれにならないまま国王が亡くなられるようなことがあれば、国王の兄君カドール公が王位を継承されるものと思います」

「正しい血筋の子か」グリムがつぶやいた。

ガウェインは、目の前にだらしなく手足を投げだしてすわっている、悪意のかたまりのような大男をじっと見つめた。

「そういう話はあなたのほうがよくご存じのようだ」我慢にもほどがある。礼儀正しい、無頓着（むとんちゃく）な口調で話そうとしているにもかかわらず、ガウェインの声はとがってきた。

「どうやらあなたは、ご自分が王位につこうとは思ってらっしゃらんようですな、ガウェイン卿」グリムはぐいとガウェインのほうに身をのりだすと、あからさまにあざわらった。

ガウェインは怒りで顔を赤く染めた。

「もちろんです」ガウェインはその顔つきとはうらはらに、努めてそっけなくこたえた。もうグリムがどう思おうと、かまいはしない。

「でも、特別に好きだと思うご婦人はいないの？」まるで、さっき自分が質問をしてからあとの会話はまったく耳に入っていなかったとでもいうように、グドルーンが言葉をはさんだ。

気まずい瞬間をとりつくろう女主人をきどったつもりなのだろうが、その未熟で唐突な口のきき方がおかしくて、ガウェインは娘のほうへ顔を向けた。ところが、ガウェインが目にしたのは、膝の上でぎゅっと指を組み合わせて両手を握りしめ、身を硬くして身じろぎもせずにすわっているグドルーンの姿だった。座がしらけたのを気まずく感じて口をはさんだものと思ったが、どうやらそうではないようだ、この娘はひどく脅えている。だが、なにに？　わたしにか？　それとも、父親にか？　ガウェインは、いかにも残念そうな表情をつくって首を振ると、明るい声でこたえた。

「いやはや、簡単に好きになるわけにはいかないのだ。わたしが度々お供をすると、いいなずけになったかのように思いこんでしまうご婦人がいるのでね。そうした残念な誤解は招きたくない。というのも、結婚するときには、好みより政治的な配慮から相手を選ぶつもりなのでね」

「愛情はいらないということ？」グドルーンはひどくショックを受けたようだった。

「とんでもない」ガウェインはきっぱりといった。「いとしく思うだろう。ただし、結婚して妻となってからだが。そもそも、結婚式の当日まで相手の顔も知らないかもしれないのだし」

グドルーンは、納得できないというような顔つきをした。「あたしは、会ったこともない男性と結婚なんてできないわ」

「なるほど。きみは思いどおりの結婚ができるといい——」ガウェインがいいおわるまえに、グリムがわめきたてた。

「グドルーン、おまえはわしの決めた相手と結婚するんだ、わかったか！」グリムは激しい怒りに震えながらそういうと、ガウェインのほうに向きなおった。ほんのささいなことにも分別を失って、なにをしでかすかわからないといったようすだ。「女をつけあがらせちゃいかん。政略結婚とやらをするときにも、ちゃんとそのことを覚えておくことですな。奥方がそのことを忘れようものなら、ベルトでなぐってやるこった！」そういうと、グドルーンをにらみつけ、ぴしゃりといった。「もう寝ろ」

グドルーンはあわてて立ちあがったが、一瞬、ためらうようなそぶりを見せた。

「さっさとしろ！」グリムがどなる。

娘は唇をかんだ。

「はい、父さん」グドルーンは、急いで広間の奥の階段へと歩いていった。

グリムは、自分の杯にまたワインを注いだ。

「あの娘、くだらんことをぐだぐだと。外の世界を見たいだの、宮廷にいってみたいだの、いつもそんなことばかり考えておる……近ごろの若い娘ときたら、みなああだ！」グリムは、いまいましげにまた唾を吐いた。「あなたのお父上ならなんとおっしゃったか、ぜひ伺いたいものですな」

ガウェインはひどく驚いて、一瞬、耳を疑った。

「わたしの父とおっしゃいましたか？　父をご存じです――いや、でしたか？」ガウェインは言葉に詰まりながらいった。

「ロット王ならよく存じあげておりますとも」グリムは音をたててワインを飲んだ。「お父上は立派な戦士だった――昔かたぎの領主でしたな！」

ガウェインは、低い声であたりさわりのない返事をした。グリムのいいたいことはわかっていた。父親に対して幻想など抱いてはいないのだから。オークニーとロジアンの領主ロット王は、節操のない略奪者、いわば最も規模の大きな追いはぎ貴族だった。ロットは、アーサー王の治世を快く思っていなかった。その斬新さのためというより、それまでのような略奪がしにくくなったからだ。ロットは喜々としていくさにでかけたものだ。ちょうど同じ手合いの身分の低い連中が居酒屋のけんか騒ぎに喜々として飛びこんでいくのと同じだ。昔かたぎの領主、まさにそうだ！　富も権力もグリムを上まわっていたが、まさに、昔ながらの価値観をもつ、グリムと同じような手合いだったといってよかろう。

「ガウェイン卿、あなたは国王陛下からずいぶん多くの栄誉を受けておられる」グリムはつづけた。「陛下はお父上の敵だったというのに」グリムはワインの入った杯をにらみつけた。

「亡くなる少しまえに、父と陛下は和解していました」ガウェインはそっけなくいった。

「アーサー王にお仕えする騎士のひとりの手にかかって、亡くなられたのでしたな」グリムが言葉を足した。

ガウェインには、グリムがなにをほのめかしているのかわかった。ガウェインもまた、仇討ち（あだうち）を絶対の義務と信じる社会に根をおろしているからだ。仇討ちをしなければ臆病者扱いされる社会だ。グリムの侮辱に、ガウェインの体は怒りで熱く燃えたが、ぐっとこらえて落ち着いた声を出した。

「あれは、馬上試合で起きた事故です——試合は公正におこなわれた。ペリノーとその一族に仇討ちしたところで、わたしにとってなんの得にも誉にもならないし、そのような行為を賞賛する者などいはしないでしょう」

「お母上はどう思っておられるでしょうな?」グリムがいった。

おかしくもないのに、ガウェインは声をあげて笑った。

「母がもめごとを起こすたびにわたしが手を貸していたら、一族の四分の三は敵になるだろうし、その連中と休むまもなく戦いつづけていなければならないでしょう。しかし、母が父の死をそのように深刻に考えているとは思えませんが」

「確かに。ご一族のご婦人方は勝ち気な方ばかりですからな」

さげすむような、それでいて同時に脅えているような口調だった。グリムの声をきいて、ガウェインは子どものころの悪夢を思い出した。父がどなりちらしている。母は冷ややかな表情で黙りこくっている。そして、ほんとうならもうとうに眠っているはずの幼い少年が脅えて、父親にも母親にも気づかれぬようそっと忍び足で部屋から出ていく。それは、唯一はっきりと思い出すことのできる父親の記憶だった。そして、その記憶がよみがえるたびに、やがて父親ロットがいかなる敵よりも妻を恐れ、憎むようになったことを思うのだった。今のグリムの声には、父が抱いていたのと同じ恐れが影を落としているような響きがあった。

グリムはふいに、テーブルを押しやるようにして椅子をうしろにずらした。

「さあ、お部屋のほうへ」グリムは無愛想にいった。「わしらは夜更かしせんのです」

グリムはテーブルの上のロウソクを消し、食器棚から燭台を取りあげると、さっさと歩きだした。振り返って客がついてきているかどうか確かめることもしない。中二階の下の扉の前までくると、立ちどまって燭台を高く掲げ、ガウェインの寝室の扉まで廊下を照らした。

「ガウェイン卿、それではお休みくだされ」グリムは、うしろからガウェインに声をかけた。「ベッドはきっとお気に召しますよ」

寝室のドアに触れたとたん、背後から照らしていた光が消え、ガウェインは廊下の細長い闇のなかに取りのこされた。


この家のあるじは芝居がかったことが好きとみえる、ガウェインはいまいましく思いながら扉の取っ手を探った。ところが、かんぬきがかかっていなかったらしく、取っ手に触れただけで扉が開いた。部屋のなかは、食事にでかけるまえほどまばゆくはなかった。天井の明かりが消してあったからだ。が、暖炉の火はかわりなく赤々と燃え、ベッドの脇のロウソクも同じように明るく輝いている。ガウェインが部屋に入ると、暖炉の前で骨をかじっていたゲラートが主人を迎えようとして立ちあがり、歩きはじめた。が、ふいに部屋の中央で立ちどまった。

「ほうら、もどってきたぞ」ガウェイは片手を差しだした。しかし、犬はその場を動こうとせず、さげた尻尾を不安そうに振りながら鼻声を出して、ベッドのほうを見つめている。

ガウェインは犬に近より、耳をかいてやった。

「どうした？　幽霊でも見たか？」

犬の視線をたどって、天蓋の深紅のカーテンのなかの暗がりに目をこらしたとき、ガウェインはぎょっとして言葉をのんだ。

金髪に縁どられた小さな白い顔が、毛皮の上掛けの端からこちらをのぞいていた。

「お嬢さん――お許しを――」ガウェインはしどろもどろに詫び、扉のほうへあとずさりながら、恐ろしく堅苦しい言いまわしでなんとかその場をしのごうとした。「うっかりこの部屋をわたくしの部屋と思いこみ……」

「ガウェイン卿、ここはあなたのお部屋よ」グドルーンが少しうわずった声でいった。

その瞬間、ガウェインは気がついた。剣と兜が衣装箱の上に、水差しと洗面器もさきほどおいたまま暖炉の脇にある。それに、もちろん犬のゲラートもいるのだ……。

「では、こんなところでなにをしている？」ガウェインにはわけがわからなかった。

グドルーンはガウェインにほほえみかけた。誘惑しているつもりなのだろうが、これではせいぜいきどったつくり笑いといったところだ――ガウェインは思った。

「わからない？」

「今は、謎解き遊びなどする気になれん」ガウェインはきっぱりといった。「まだ夜更けというほどでないのはよくわかっているが、今日は早朝から馬に乗りづめだったので、横になりたい。さあ、いい子だから――」

「ここに横になれるわ」グドルーンは、壁際へわずかに体をずらした。

「とんでもない。急いで自分の部屋にもどりなさい、だれかに見られるまえに」ガウェインはあたりを見まわした。「ガウンはどこだい？」

「そんなものないわ」グドルーンは不機嫌な声を出した。

ガウェインの忍耐心は揺るがない。「それでは、ベッドの上掛けをまとっていくといい。この寒さのなか、肌着で走りまわるわけにはいくまい」

グドルーンは口をとがらせた。「いかないわ」

抱きあげて、上掛けでくるみ、部屋の外に放りだす――それ以外に、この娘を厄介払いできるどんな方法があるだろう？　しかし、いくらこの娘が若くて無分別だとはいえ、女性にそのような無礼をはたらくことなどできるわけがないではないか。

「しかし、なぜ？」ガウェインは困りはててたずねた。

グドルーンはガウェインをにらみつけた。「あなたを愛しているからよ、きまってるじゃない」

「ばかをいうんじゃない」ガウェインは娘の理性に訴えようとした。「まさか、一目ぼれだなどという気じゃなかろう？　きみのように分別のある人は、一目ぼれなどできないと思うがね」ガウェインは期待をこめて、眉をあげた。

「あなたにとって〈分別がある〉っていうのは、好きでもない人と喜んで結婚するということみたいね」あからさまな軽蔑が返ってきた。「ほんとうはね、こうして実際に会うまえから、あなたのことを愛していたのよ。あなたのことならいろいろと噂を耳にしていたもの――どれほど美しくて、勇敢で、思いやり深く、礼儀正しいか……」グドルーンの下唇が震え、今にも泣き声をあげそうな気配だ。

ガウェインは、ことさらに冷淡な態度をとろうとした。

「会ったこともない者に恋するのも、会ったこともない者と結婚するのも、たいしてちがわないと思うがね」

グドルーンは鼻をすすった。

「噂にきいたのとまるでちがうのね！　それに、見かけだって王子らしくないわ！」

「ということは、明らかに、きみが恋におちた相手はわたしではないということになる」ガウェインは冷たくいいはなった。「だから、今夜のところは自分の部屋にもどって、王子様が現れるのを待っていたほうがいい」

「もう手遅れよ」グドルーンは悲痛なまなざしでガウェインを見つめて、嘆いた。「あたしをここにいさせてくれなきゃならないわ」

ガウェインは、剣と兜をおろして壁際の衣装箱に腰かけると、両肘を膝についた。それから、おじが姪(めい)に見せるような笑顔を精一杯つくってみせた。犬が足元でどさりと横になる。

「いいかい、なにが問題か教えてあげよう。きみは退屈しているんだ。だから、恋物語をでっちあげて、必死でそれにしがみつこうとしている。そうじゃないかい？」

「そう思いたいんなら、それでいいわよ」グドルーンがふくれた。

「ほら、ごらん」ガウェインは、それまでと変わらぬ穏やかで、分別のある口調でつづけた。「しかし、きみはその先のことをなにも考えていない」もったいぶったようすで首を振る。「今は評判などどうでもいいと思っているかもしれないが、いったん評判に傷がついたら、そうは思えなくなるだろう。それに、父上はどう思われるだろう？　父上はきみに厳しすぎるかもしれない。しかし、起こっては困ると父上が心配しているようなことを、チャンス到来とばかりにやってのけて、はたして父上は今よりも寛大になられるだろうか？」

娘は返事をしなかったが、かすかにあざけりの表情を浮かべた。ともかくも、わたしの話になにか感じてはいるようだ、ガウェインは満足した。

「悪いことはいわない。父上のいうことをよくきいて、快活にふるまうことだ」この娘に描いてみせているのは、子どものことを案じ、責任をもって子どもの世話をする親だ。しかし、グリムの実際の姿はこの父親像と一致しているとはいいがたい――うしろめたく思う気持ちを抑えながら、ガウェインはつづけた。「まず、きみにいかに分別があるかを見せることだ。そうすれば、社交界に入ってもきみが問題を起こしたりはしないと信頼してもらえる」

グドルーンのあざけりの表情は、いまや見まちがいようがないほどはっきりとしていた。

「社交界ですって?」グドルーンがぴしゃりといった。「この谷にはあたしたち以外にだれも住んでないし、父さんはけっしてこの谷から外に出ないのよ。父さんの妹がいっしょに暮らしてたけど、父さんに愛想をつかして出ていっちゃったわ。何か月もまえのことよ。父さんは『いい厄介払いができた』っていっただけ。そのうえ、使用人たちまで追いだしちゃった。そのあと、どこかからあのおばあさんを連れてきたのよ。それ以来、父さんとあのおばあさん以外のだれにも会ってないわ」

この娘がおかれている状況はきくに耐えないほど悲惨だ——ガウェインも認めないわけにいかなかった。しかしながら、なんとかわからせなくてはならない。久々に客があったからといって、その客にこそとばかりに飛びつくことが理想的な解決策ではないということを。

「しかし、わたしとベッドをともにしたところで、なにも変わりはしない、そうじゃないかい?」

「あら、変わるわよ」グドルーンの声には熱がこもっていた。「あなたの恋人ということになれば、いっしょに宮廷にいけるでしょ」

「いやいや、だめだ」ガウェインは、衣装箱の端をつかんだ。「それは得策じゃない。父上はきみを返すよう命ずるだろうし、連れもどされたらきみの状況は今よりずっと悪くなるだろう」

「どうして?」グドルーンが叫んだ。「あなたは国王の甥じゃないの。あたしをそばにおいておくことくらいできるはずでしょ?」

なぜ、きみをそばにおいておきたいなどと思わなければならないのだ? そういってやりたいと思ったが、ガウェインはこらえた。

「わたしがだれであろうと関係ない。父上の承諾もなしにきみを連れされれば、わたしは法を破ることになる。そして、国王は法の定めを守らなければならないお立場だ、法を破る者がだれであろうとな。さて、」ガウェインは立ちあがった。「もう部屋にお帰り。そして、だれかのところに、そう、父上が安心してきみを任せられるご婦人のところに身を寄せられるよう、父上をなんとか説得できないものか考えてごらん。そのほうがずっとよい考えだと思うがね」ガウェインは再び、おじのような笑顔を見せた——笑顔をつくるのがだんだんうまくなってきたぞ。

「いやよ、だって、あなたを愛しているんですもの」グドルーンは上掛けのなかで丸くなると、ガウェインをにらみつけた。

ガウェインはすわりこむと、困りはてて娘を見つめた。

「しかし、わたしはきみを愛していない」

「あんまりだわ！」グドルーンが跳ねおきた。「あなたは騎士のかがみだと思ってたのに——だって、〈乙女を守る騎士〉といわれてるじゃないの！」

「わたしがきみとベッドをともにすれば、きみはもう乙女とは呼ばれなくなってしまう」ガウェインは理づめでこたえる。

「あら、うまくいいくるめようってわけ？」

「ちがう！」ガウェインはやっとのことで怒りを抑えていた。「わたしはただ、きみの矛盾を指摘しようとして……」ガウェインは勢いよく立ちあがると、部屋のなかを二、三回いったりきたりした。

ガウェインが立ちあがるときにあやうく蹴とばされそうになった犬は、抗議のうなり声をあげ、衣装箱のむこう側にのそのそと逃げていった。

「いいかい」ガウェインはどう話したものか心を決めかねたまま立ちどまり、再びベッドに向きあった。「わたしは、乙女を守らなければならない立場だ。そうだね？　よし、だから、わたしはきみを無知から守っているのだ。自分の身にどのようなことが降りかかることになるのか、きみには少しもわかっていない――」

「どうなるっていうのよ！」グドルーンがわめいた。

ガウェインはたじろいで、扉のほうをちらりと見た。怒りくるったグドルーンの父親が、いつ飛びこんでこないともかぎらない。

「しっ！　お願いだから、大声は出さないでくれ！」ガウェインは声をひそめていうと、深く息を吸いこんで、なにをいおうとしていたのか思い出そうとした。「きみはとんでもないまちがいをしでかそうとしている」それから、ぐっと低い声でつづけた。「わたしの恋人になったところで、たいして楽しくないかもしれない」

グドルーンは、好奇心に満ちたまなざしでガウェインを見つめた。

「経験からいってるの？」

ブランディリスの妹のことが焼けつくようなうねりとなって脳裏によみがえり、ガウェインは内心、身のすくむような思いがした。が、それが相手に悪いことをしたという思いからなのか、なんとばかなまねをしたのだろうという後悔からなのか、わからなかった。もちろん、あの娘にもちゃんと名前があった。にもかかわらず、いつだって〈ブランディリスの妹〉としか思ったことがなかったのだ。

「その、そういう経験があったわけ？」グドルーンがたずねた。

ガウェインの顔が怒りで紅潮した。

「よけいなお世話だ！」ガウェインは苦々しげにいった。

グドルーンは、ガウェインを穴があくほど見つめた。むずむずするようなきまりの悪さを抑えようと、ガウェインは指で髪をすいた。なんとか落ち着きを取りもどさなくては。

「すまない。ひどいことをいってしまって……」ガウェインはため息をもらすと、再び衣装箱の上に腰をおろした。「なぜ、こんなことがこの身に降りかかってくるのかわからん。〈乙女を守る騎士〉などというばかばかしい評判のせいかもしれんな」

「女嫌いだとしたら、なぜそんなふうに呼ばれるの？」グドルーンは、ふいに敵意も、誘惑しようという気持ちも忘れたように、興味津々といった口調でたずねた。

「女嫌いなどとだれがいった？」ガウェインがきっとしていった。「だれかれかまわずベッドをともにするような真似(まね)はしない、それだけのことだ」

「わかったわ。でも、騎士道にかなった、非の打ちどころのない恋人だという評判は否定できないわよ。だから、あたしは――」

「きみがなにを思ったかはわかる。だが、とんでもない勘ちがいをしている」ガウェインはかがんでゲラートの頭をなでると、床に目を落として顔をしかめた。「わたしがご婦人方に対して礼儀正しくふるまっているとすれば、それはおそらく、ご婦人方を死ぬほど恐れているからだろう」

「まさか！」グドルーンは驚いて声をあげた。

「きみは、我が一族の女性たちに会ったことがないからね。父上がいっておられたとおり、うちの女性たちは勝ち気でね。そう、執念深く、貪欲だともいえる」

「自分の家族のことをそんなふうにいうなんて、ひどいわ」グドルーンがしかつめらしくいった。「ずいぶんだわ」

「ひどいというなら、あの連中だってそうさ」ガウェインの声にいらだちがまじっていた。「この三十数年間というもの、一族のあいだでたえまなく内乱がつづいているのも、連中のせいだ。彼女たちのつまらん喧嘩のせいで王国内の平和が脅かされているというのに、いっこうにおかまいなしだ」

グドルーンが物知り顔でいった。「みんながいってるわ、あなたの一族の女性たちには妖精の血が流れているって」

「ほんとうかい？　いやはや、みんな、なにもわかっていないようだな。うちの女性たちには血など一滴も通っていない――まじりっけなしの酸っぱい果汁が流れているだけだ。妹でさえそうだ――子どものころ、わたしたち男の子が妹を仲間はずれにしようものなら、妹はわたしたちの耳をウサギの耳のように長くふさふさにしたり、わたしたちの夕食をむかつくようなものに変えてしまったりしたものだ。そして、母ときたら、それを気のきいたしゃれだと思っていたのだ！　あの連中はみんな怪物だ。ひとりとしてまともな者はいない」

「自分のお母さんのことをそんなふうにいうもんじゃないわ」グドルーンがつけつけといった。

ガウェインはうしろの壁にもたれた。

「そうかもしれない」ガウェインはあっさり認めた。うんざりして、どうでもよくなったのだ。「いずれにせよ、母は飽きっぽい性格なので、怪物になりきることなどできない」

「一族の女性たちっていうけど、おばあさんのことだって、怪物よばわりするもんじゃないわ。国王のお母さんだもの」グドルーンはしつこくいいつのる。

「かもしれん」ガウェインは肩をすくめた。「それから、もちろん、宗教に身を捧げてしまったエレイン叔母も除外してよかろう。しかし――」ガウェインは立ちあがると、伸びをした。「いくらきみが身内を悪くいうものじゃないといっても、叔母のモーガン・ル・フェイは、はずすわけにいかない。モーガン叔母はまちがいなく怪物だ」

暖炉の火が小さくなりはじめていた。ガウェインは歩みよって、薪の燃えのこりを靴の先で寄せ集めると、その上に新しい薪をのせた。グドルーンは、毛皮の上掛けを肩のあたりでかきあわせた。まるで、ふいに寒さに気づいたとでもいうようだ。

「そうね」

ガウェインはゆっくり振りむくと、ベッドの足元に立った。

「モーガン叔母のことをなにか知っているのかい？」ガウェインは静かにたずねた。

グドルーンは唇をかむと、また体を縮めた。

「なにも知らないわ――一度会ったことがあるだけ――それとも二度だったかしら……」

「どこで？」

「ここで」グドルーンはささやくような低い声でこたえた。「父さんの知りあいなの――あたしの叔母さんが出ていったのもそれが原因だわ――そのことで喧嘩して……」グドルーンの声がしだいに細くなっていった。

ガウェインの本能が危険を感じて、うずいた。それがいかなる危険か知りたいと思うのだが、漠然とした不安が広がるばかりで、途方にくれた。モーガン叔母とグリムはなにかを企んでいる。モーガン叔母同様、グリムも自分の得にならないつきあいなどしない男だ。ガウェインは衣装箱にもどると、また腰をおろした。

「どのような用件でモーガン叔母が父上に会いにきたのか、きみは知らないんだろうね？」

グドルーンはうなずいた。まるで、脅えた子どものような表情をしている。

ガウェインは、いかにも疲れたというように両手で顔をこすった。それから、グドルーンにふっと笑顔を見せた。

「おそらく、たいしたことではなかろう」といったものの、ほんとうはそうでないということがわかっていた。「さあ」ガウェインは、てきぱきとした口調でいった。「すっかり遅くなってしまった。その毛皮にしっかりくるまって、自分のベッドにお帰り」

グドルーンがわっと泣きだした。

ガウェインはぱっと立った。が、近づきすぎないよう慎重に前へ出る。

「いったい、どうしたっていうんだ？」ガウェインは袖のなかを探った。ハンカチが入っているはずだ。

「いいかい、もうこれ以上ここにいてはいけない。父上が――」

グドルーンは、ガウェインが手を伸ばして差しだしたハンカチをひったくると、思いきり鼻をかんだ。

「気がかりなのはそれだけだっていうんなら、なにも心配はいらないわ。父さんがあたしをここにこさせたんですもの」グドルーンが、怒りのこもった目でガウェインを見あげた。目の縁が赤くなっている。

「なんてことだ！」ガウェインがうんざりしたようにいった。「またか！」

「え？」グドルーンが大声をあげた。「またかって、どういうこと？」

「明らかに、この王国じゅうの親が、自慢の娘をアーサー王の甥と結婚させたがっているということだ」

ガウェインは苦々しげにいった。「もっとも、これほど露骨なやり口にお目にかかったのは初めてのことだが。おそらく、父上は、きみがわたしと一夜をともにすれば、わたしが断れなくなるだろうと思ったのだろう。だが、その手にはのらない。きみと結婚することはできないし、きみとベッドをともにするつもりもない。父上はその現実を受けいれるしかないと思うがね」

グドルーンは再び泣きだした。さきほどとちがい、声をあげずに泣きながら、小声でなにかつぶやいている。

「なんだって？」ガウェインが鋭くききかえした。

「殺される！」グドルーンが繰り返した。「ここにいないと、父さんに殺されるわ！」

「そんなばかな――」ガウェインはいいかけて、言葉を切った。娘が心底脅えた表情をしていたからだ。受けいれるしかなかった。「わかった。そこにいていいよ。もし父上から虐待されているのなら、明日わたしがたつときに、いっしょにこの家を出たほうがよかろう。きみをチェスターに連れていこう。きっと王妃が保護してくださる」ガウェインは衣装箱に目を向け、その視線をベッドに移した。「その毛皮の上掛けを借りても寒くはないかい？」

グドルーンはうなずき、上掛けを引きよせて両腕に抱えると、ガウェインを見つめた。

「では、こっちへ投げて」ガウェインは快活にいった。

「なぜ自分からとりにこないの？　そんなにあたしを怖がらなくてもいいじゃないの」

ガウェインは声をあげて笑うと、深々と頭をさげた。「これは失礼」

ガウェインはベッドに歩みよると、かがんで毛皮に手を伸ばした。そのとたん、半身を起こしていたグドルーンがガウェインの両肩をつかんで自分の脇にひきずり倒し、両腕を首に巻きつけた。

「グドルーン！」ガウェインはあらがった。「頼む！　息が詰まる！」ガウェインはグドルーンの腕をゆるめようとした。

「絶対に秘密にして！」グドルーンは、ささやくような声で、せっぱつまったようにいった。「約束して！」

「なんのことだ？」ガウェインは、あえぎながらたずねた。

グドルーンはふいに手を放すと、滑りおちるように横たわった。

「父さんにいわれてここにきたってことをあなたに話してしまったけど、そのことが父さんに知れたら大変だわ」

「明日、わたしといっしょにここを出るのなら、父上がなにを知ろうとなんの心配もいらないではないか」

グドルーンはかぶりを振った。

「いっしょにはいけない。父さんが追いかけてくるもの。父さんは……天候を操ることができるのよ。できるだけ早くいくわ。そのときには手を貸してくれるでしょ、陛下の宮殿に参上したときには？」

「わたしにできることがあればなんでもする、約束するよ」

「それから、今夜のことはだれにも話さないわね？」

「実際、なにごとも起こらなかったではないか」ガウェインの口元がほころびかけた。が、グドルーンは、ガウェインの両手をぎゅっとつかんだ。「わかったよ。きみの名誉のことなら、心配はいらない。今夜のことはだれにも話さないと約束するよ。誓って話しはしない」

グドルーンはため息をもらすと、ガウェインの手を放した。ガウェインは立ちあがると、上掛けを肩に掛け、少しのあいだグドルーンを見おろしていた。グドルーンはまじめくさった顔で見かえす。

「休みたいのだが、話はこれでもういいかい？」グドルーンがうなずいた。「よかった」ガウェインは人差し指を唇につけると、その指をグドルーンの額にそっと押しあてた。

ガウェインがうしろを向き、ロウソクを消そうと手を伸ばしたとき、グドルーンが低い声でいった。

「一本だけ残しておいてくれる?」

夜中、ガウェインはなにかが顔に触れたような気がして、目を覚ました。部屋のなかは暗かった。暖炉とロウソクの明かりがわずかにあるだけだ。暖炉の火は勢いが衰え、小さくなっていた。ベッドの脇のロウソクも、ロウソク立てぎりぎりまで短くなって、すきま風のなかで今にも消えそうになっている。ゲラートが部屋の中央に立って、扉を見つめていた。

ガウェインが体を起こしかけると、ロウソクの炎がすっと細くなって、完全に消えてしまった。

「グドルーン?」ガウェインは小声で呼んでみたが、返事はなかった。

犬が、腕に鼻を押しつけてきた。

「それでは、出ていったのか?」ガウェインはまた横になった。

犬は、鼻を鳴らしながら落ち着かなげに歩きまわっていたが、やがて衣装箱の脇にねそべった。


明け方近く、ガウェインは再び目を覚ました。起きあがると、体の節々が痛んだ。向きを変えて床に足をおろすときに、危うくゲラートを踏みつけそうになった。犬がうなり声をあげる。わたしだってうなり声をあげたいさ、とガウェインは思った。実際、これまでに度々野宿をしていたから、寝心地の悪いところでひと晩過ごすくらい、さして苦痛ではなかった。が、最初にあのふかふかした贅沢なベッドを目にした瞬間から、そこで休めるものと楽しみにしていたのだ。

ガウェインはくるまっていた毛皮を脱ぎすてると、くすぶっていた火をかきたて、ベッド脇の燃えつきていないロウソクに火を灯した。ベッドは思っていたとおり空だった。

武具を身につけ、鞍袋に荷物を詰めおえても、外はまだ暗かった。ガウェインは、手探りしながら注意深く廊下を進み、広間へと向かった。扉の前までくると、ゲラートの首輪をぎゅっとつかんで引きとめた。グリムの猟犬たちが、昨夜最後に見かけたときのように暖炉の前で長々とねそべっているかもしれない。が、そのような用心をする必要はなかった。猟犬の姿は見あたらない。広間は冷え冷えとしていたが、真っ暗ではなかった。だれかが高窓のよろい戸をあけたらしく、薄明かりが差しこんでいたし、外へ通じる扉の脇のランタンもほの白い炎をあげていた。ガウェインは戸口で立ちどまった。

グドルーンを探すべきだろうか？　あの娘は、ほんとうに危険な目に遭うだろうか？　迷っているうちに、自分が愚かに思われてきた。このように夜明けまえにこそこそ逃げだすなど、どう控えめにいっても見苦しいことだ。いや、見苦しいだけではない。結局のところ、わたしはあの娘のいい分をきいただけだ、娘を王族と結婚させたいばかりに父親がとっぴで悪趣味なたくらみごとをしたのだというあの娘の話をうのみにしてしまった。が、もしかしたら、あれはすべてあの娘の勝手な企てだったかもしれない。とすれば、人目を忍んで旅立つなど、なによりも邪推を招くことだろう。

ゲラートが待ちきれないというように鼻声をあげた。それで、心が決まった。ふいに、もうこのゴーム谷にはうんざりだという気がした。いっしょにつれていこうといったのに、グドルーンは断ったのだ。それならそれで結構。あの娘は自分でなんとかするしかないのだし、あの父親は思いたいように思えばよいのだ。ガウェインは扉を押しあけた。霧は晴れ、夜のあいだにさらに降り積もった雪におおわれて、庭には足跡ひとつなかった。空はまだ暗かったが、少し欠けた月が厩の上に低くかかっていた。

グウィンガレッドを厩から引きだしてくると、館の玄関からむかい側の建物までだれかの足跡がついていた。グリムの足跡にしては小さすぎる。牛の鳴き声がするところをみると、あの老婆が乳搾りにいったにちがいない。一瞬、ガウェインは老婆に風変わりなあるじのことや、あるじとモーガン・ル・フェイの関係などたずねてみようか、グドルーンに手を貸してやってくれるよう頼んでみようか、と考えた。が、ふと気づいた。あの老婆がすすんで質問にこたえてくれたり、グドルーンに手を貸してくれたりするかどうかはわからないのだ。話しぶりから察するに、グドルーンは老婆に好意をもっていないようだし、信頼してもいないようだった。ガウェインは馬を引いて庭を横切ると、門のかんぬきをはずし、荒らした屋敷から逃げだす強盗のような気分にはなるまいと努めた。

木の橋を渡りきったところで、ガウェインはひらりと鞍にまたがり、グウィンガレッドをきびきびと歩かせた。東の丘のほうで空が白みはじめた。まもなく夜が明けそうだ。グリムの屋敷から谷あいの本道まで、小道がつづいている。薄明かりのなか、細い道を進むのは楽ではなかったが、それでも、霧に巻かれた前日の午後と比べれば、まだあたりが見えた。ガウェインは、なんなく本道にもどることができた。本道に入るときに振り返ると、ちょうど門がかすかに開くところだった。だれかがこちらを見ている。赤いガウンがちらりと見えた。あの老婆だ。

ガウェインは、グリムの屋敷に背を向けた。屋敷で吸いこんだ空気を洗い流そうとでもいうように、深々と息を吸う。前日より寒さが和らいでいたものの、息を吸いこむとやはり冷気が喉にくいこんだ。肩掛けを顔まで引きあげ、手袋をはめた指で肩のあたりを探る。肩掛けを留めるための輪形のブローチがついているはずだ。が、ない。いくらかいらいらしながら、ガウェインは手袋を脱いで、さらに探った。ブローチはなかった。厩で、肩掛けから落ちたにちがいない。なに、それならそれでかまわない。ブローチくらい安いものだ、だれにも妨げられずに抜けだすことができたのだからな。

まるであの屋敷から目に見えぬ手が伸びてくるとでもいうように、ガウェインはグウィンガレッドにゆるい駆け足をさせた。もっとも、馬と自分の体を温めるためだ、といいわけしただろうが。ゲラートは吠えながら、馬の横を跳ねるように駆けている。

それにしても、いったいどうしてこのようなことがこの身に降りかかってくるのだろうか？　ちまたには恋の詩があふれている。その影響を受けてすっかり燃えあがった女たちが感情を発散するために男を探しはじめると、きまってオークニーの総領であるわたしを選ぶ。なぜだ？　野心にあふれた親たちは自分の娘をわたしの目にとまらせようと、次から次へ突拍子もない企みごとをするが、なぜだ？　よく使われるのは、娘の危機という手だ——馬上槍試合で〈王妃の擁護者〉と一戦交えることもいとわぬ乱暴者のいとこかなにかに、娘を連れさらせるのだ。そうすれば、ガウェイン卿が娘を〈救出する〉という運びになる。なぜ、目先を変えて、弟たちを相手に選んでみようとしないのか？　あるいは、いとこのイウェインやパーシヴァルでもいいではないか？　みな、わたしと同じく国王の姉たちの息子ではないか。しかし、もちろんのこと、ガウェインが神にそむく大罪を犯したり——あるいは、当の女性やその一族にはなはだしい侮辱を与えたり——することなく、この手の策略からまんまと逃げおおせるたびに、ガウェインが非の打ちどころのない礼儀正しさを備えているという美談がまたひとつふえるのだった。そもそも、この非のうちどころのない礼儀正しさこそが、親たちに企みごとの猛攻撃をしかけさせる最大の理由になっているようだった。

グウィンガレッドがでこぼこ道で足をすべらせ、よろめいた。ガウェインは、はっとした。不愉快な気分をふっきろうとするあまり、馬ともども怪我を負うところだった。ガウェインは手綱をゆるめると、愛馬に好きな速度で歩かせた。

ゴーム谷を抜けて広い谷に入るころには、太陽は丘の上に昇っていた。この広い谷は、前日に探していた谷だ。空は澄みわたり、道に新しく積もった雪はきらめき、はるか彼方の丘陵は、粉砂糖をまぶしたプディングのようだ。しばらくして振り返ると、ゴーム谷への入り口は丘の白いひだの間に完全に隠れていた。

けたたましく吠えながら前を走っていたゲラートは、道の脇の吹きだまりに飛びこんで、勢いよく雪をかいていたかと思うとまた駆けもどり、大きな口をあけてあえいでいる。グウィンガレッドは、自分から速度を速めた。天候もよく、歩きなれた道だ。この分なら三日ほどでチェスターにつけるかもしれない。

年が明けた日、チェスターにある王宮の大広間は活気にあふれ、ざわめきととりどりの色に満ちていた。参列者のなかには、チェスターの有力者、周辺の地方の地主、北ウェールズとマーシアの貴族といった、蝶のように華やかで小鳥の群れのようににぎやかな人々の姿があった。こうした人々は、周囲の人を見たり、自分たちが見られたりすることに夢中になりながら、国王と王族が礼拝堂から姿を現すのを待っていた。

大広間そのものも、参列者に劣らず華やかに飾りつけられている。壁にはつづれ織りがかけられ、高座には異国の豪華なじゅうたんが敷かれ、国王と王妃の玉座の上には天蓋から緋色と金色の布がさがっている。召使いたちが祝宴の料理を並べつづけているテーブルには地紋の入った上等な白い布がかけられ、テーブルの前の長椅子には絹のクッションがおかれている。

中二階では、楽士たちが調弦をしたり、管楽器に息を吹きこんで温めたりしているが、下の人々は今のところ、楽士たちにまったく注意を払っていない。噂話に夢中になっているのだ。だれそれがだれそれといっしょにいるところを見かけた、狩りではだれそれがめざましい活躍をした、昨日終わった四日間の馬上槍試合――騎士たちが二手に分かれて戦う集団戦や一騎打ちの試合――のあいだにだれそれがだれそれの引きたてを得た、などなど……。

楽士たちが一斉に身がまえた。礼拝堂から息せききってかけつけたばかりの楽士長の合図で、大小二種類のラッパが華やかなファンファーレを高らかに奏で、太鼓が小刻みに打ちならされる。アーサー王がそばに王妃グウィネヴィアを従えて、大広間に現れた。もう一方の側には宮廷付きの司祭、ボールドウィン司教を従えている。王のうしろには、王の異父兄にあたるコーンウォールのカドール公が夫人と息子――カドール公の従者を務める息子のコンスタンティン――とともに従っている。つづいて、王の異父姉モーガン・ル・フェイの夫君であるレゲッドの領主ウリエン、そして、王の家令であり王と兄弟同然に育ったケイ卿、さらに、王に仕える騎士たちの隊長ベドウィア卿が入場してくる。行列の最後に連なっているのは王の甥たちで、オークニーとロジアンの領主だったロットの息子たちガウェイン、アグラヴェイン、ガヘリス、ギャレスの四兄弟と、ウリエンとモーガン・ル・フェイの息子イウェイン、さらに、北ウェールズ領主の未亡人エレインの息子パーシヴァルだ。エレインの夫は、パーシヴァルが幼いころに亡くなっていた。エレインは夫が亡くなったときに修道女になったため、もう宮中へは参上しない。モーガン・ル・フェイも欠席していたが、そのことが人々の注意をひいていた。若い恋人アコロンを王位につけようとしたモーガンが、夫やアーサー王の暗殺を企て、失敗してから、六か月が過ぎていた。モーガンがどのようにして逃げおおせ、現在どこに身を潜めているのかは、ようとして知れない。領主ロットの未亡人でありガウェインの母であるモーゴースも、異父弟の宮殿に姿を見せることがなかったが、それを残念に思う者はいなかった。

人々は道をあけて王族の行列を通したが、行列はなかなか高座までいきつくことができなかった。というのも、騎士や貴婦人たちが王と王妃に新年の挨拶をし、贈り物を渡そうと押しよせてきたからだ。アーサー王は、家令のケイ卿をそばへ呼びよせた。ケイ卿は、高座脇の扉の前に立っている侍従に手を振って合図した。侍従が扉を開くと、かごをもった六人の小姓が入ってきた。王と王妃はそのかごから褒美の品を取りだし、王宮で暮らす人々や前年にとくにめざましい働きをした人々に配った。それから、大広間に集まった人々は、互いに新年の挨拶を交わし、笑い声や歓喜の声をあげ、キスをし、新年の贈り物を交換しあった。

王と王妃に付き添っていた領主たちは列を離れて、ほかの来客たちの間にまじりはじめたが、アーサー王は、ケイ、ベドウィアとともに高座の前に立っていた。この三人のなかでまっさきに目につくのがケイだった。優美というには大きすぎる体、美男というにはいかつい顔だちをしていたが、あでやかさの極みといった服に身を包んでいた――クジャクの図柄の金襴で仕立てた、とびきり丈の短い上着。そのたっぷりとした袖には毛皮の縁どりがしてある。腰よりはるか上までくるタイツはオレンジ色だ。一方、ほっそりした体格で、浅黒いひょうきんな顔つきの、勇士というよりはジャグリングでもやりそうなベドウィアこそ、敵にまわすとケイよりも危険な男だった。そして、アーサー王はというと……。

近づきになれた者がアーサー王から受ける印象はさまざまにあろうが、それを並べたところで、王のことを語りつくすことはできない。このとき、王は三十代半ば、中肉中背で顔だちはまずまず――実際、ほとんど目立たないといってよかった。しかし、アーサー王は二十歳になるまえに王国を手中におさめ、三十にならずして最後の敵を平定した。望みさえすれば、そのまま平定をつづけて西ローマ帝国の皇帝にもなったかもしれない。が、アーサー王は、征服のための征服にはなんの喜びも感じなかった。そして、王国内が平定されると、戦いに背を向け、戦いほど劇的ではないが、戦いに劣らぬほど英雄的な務め、すなわち、王領の民に秩序と正義をもたらすという仕事に取り組んだのだった。ガウェイン卿はアーサー王を敬愛していた。父親が生きていないのでわからなかったが、父親に対する愛情とはそのようなものにちがいないと思っていた。が、実際、オークニーの総領ガウェインが国王に捧げたような完全かつ無条件の忠誠心を自分の親に捧げることができる若者などいなかっただろう。

再び、高座のあたりにいた高貴な人々が次々に道をあけた。さながら大きな渦が巻きおこったかのようだ。ボールドウィン司教が、アーサー王、そして、いちばんの昔なじみでもあり最も親しくしているふたりの友人のところへもどってきたのだ。ここ何年ものあいだ平和がつづいているせいで、司教の人柄も少し円くなったようだ。馬にまたがり、王の左側に並んで戦いのただなかに飛びこみ、〈慈悲〉と名づけた鉄の鎚矛（つちほこ）をふるっていたころよりは柔和な顔を見せるようになっていた。しかし、それでもなお、司教のがっしりした体格は、司祭のマントよりも鎖かたびらをつけるために生まれてきたかのように見えた。もっとも、宮廷付きの司祭ならびに王領の大法官になってからというもの、会議と裁きの場が司教の戦場になっていた。

アーサー、ケイ、ベドウィア、ボールドウィン。当代の英雄であり、来るべき時代を切り開く者たち。四人はすでに伝説的な人物になりはじめていた。平和が長くつづくにつれ、四人がいくさでたてた手柄の細かい部分は人々の記憶から薄れていたが、その名声はますます偉大で輝かしいものとなっていた。今、精一杯見栄（みえ）をはって、地方の地主の娘たちの間を歩きまわっている若い従者たちは、その昔、若きアーサーがボールドウィン司教の手により戴冠したときには、まだ生まれてもいなかった。新しく騎士の称号を与えられ、今回の馬上試合に初めて出場した者たちは、最後の反逆者どもが降伏したときにはほんの子どもにすぎなかった。

王に仕える若者たちは大広間のあちこちに散っていたが、どこへいっても人気があった。ことに、馬上試合の一騎打ちで、初日に優勝し、二日目にはベドウィア卿と優勝を引き分けたガウェイン卿は、ひっぱりだこだった。あちらのグループこちらのグループと、友人や知人に挨拶しながらまわっていると、お祝いの言葉をかけようとする人々が次々に現れてガウェインを引きとめる。広間のなかほどまでゆっくり進んできたガウェインは、むこうからやってきた人に道を譲って脇によけたのを幸い、そのまま一、二歩あとずさって広間から一段高くなった窓辺へあがった。その奥まったところに、いとこのイウェインがいた。早くも逃げだしてきているのだ。ふたりは子どものころから仲がよかった。どちらかに喧嘩を売った者は、ふたりを相手にするはめになる——ふたりの子ども時代、そのことを知らない者はいなかった。ふだん人々が〈オークニー一族〉というときには、当然のようにイウェインも勘定に入れていた。

ガウェインは、奥まったところに立っているいとこに目を向けた。イウェインはちらりとガウェインを見てうなずくと、にこりともせずに窓の外に目をやった。レゲッドの王子イウェインは、どうやらだれとも口をききたくない気分のようだ。ガウェインとさえも。ガウェインは広間に目を向け、少しのあいだ輪になって踊る人々をながめていた。人々が、いりくんだ動きで目の前をまわっていく。なにかおもしろいことがあったのか、ガウェインは低い声で笑うと、イウェインにきかせようと声をかけた。が、イウェインはまるで興味がなさそうに、そっけない返事をするだけだ。ガウェインはイウェインのほうに向きなおり、いとこを元気づけようとした。が、ガウェインが口を開くより早く、イウェインがいらだった声をあげ、いらだちはすぐに激しい怒りに変わった。

「アコロンのやつ！　あいつは昔からの友人だったんだぞ！」

「アコロンは、自分がどのようなことに巻きこまれているのか知らなかったのだろう」ガウェインはいった。「おそらく、おまえの母上の手練手管にひっかかったのだ……いずれにせよ、あの男はその報いを受けたではないか」

「母のほうも報いを受けてしかるべきじゃないか。あの女――」イウェインは、脇にさげた短剣の柄を右手で握りしめると、顔をそむけ、低い声でつぶやいた。「この手で殺しておけばよかった。母は、父の寝室の扉の前に立っていた。父の剣を手にして。母は、おれを仲間に引きいれられると思っていたようだ！　父が目を覚まさなかったら、この手で母を切り刻んでいたところだ。汚らわしい女――あの売女(ばいた)め……そういえば、おまえもあいつがどんな女か、よく知っていたんだったな、え？」

「わたしの母はいつだって噂話ばかりしている、どこそこのだれはこんなことを企んでいる、などとな」ガウェインはしぶしぶこたえた。「が、そのほとんどは、根も葉もないことだ。ほんとうかどうか、さっぱりわからない」

イウェインはきっと顔をあげると、いった。「まさか、今回父の暗殺を企てるという小さな過ちを犯すまでは、おれのすてきな母は、雪のように清らかで罪のない女だったなどというつもりじゃなかろうな？」

「ちがう」ガウェインは落ち着かなげに、そわそわと左手の小指にはめた指輪をいじり、手のひらの星形の傷を見つめた。

「まさか、おまえまでも？」イウェインがゆっくりとたずねた。「あの女、おまえまで誘惑——」

「ちがう！」ガウェインはいやにあわててこたえると、顔を赤らめて、目をそらした。

「なんてことだ……」イウェインはガウェインを見つめた。「おまえ、どうしてあの女を殺さなかったんだ？」

「おい、頼むからやめてくれ！」ガウェインが声をあげた。「もう何年もまえのことだ。あのときは、おまえの母上がどういうつもりなのかさえわからなかったのだ。わたしの勝手な想像がひとり歩きしていると思った」

「ガウェイン、おまえはアコロンのふるまいを見て、アコロンと母がどういうことになっているのか、わかっていたんだな、そうだろう？」

「アコロンは死んだ。もう、そっとしておいてやろう」

しかし、イウェインにはガウェインの言葉に耳を貸す気などなさそうだった。「なるほど、これであの女がおまえのことを目の敵にしていたわけがわかったよ。今まで腑に落ちなかったのだ」

「目の敵に？」ガウェインはイウェインを見つめた。心のなかでびくりとするものがあった。ガウェインは頭を振った。「もうすんだことだ。もしおまえの母上があの事件のときに死んでいたら、おまえはいつまでもそんなふうに暗い顔をしていないだろう。もう六か月もたつのだ、そろそろ隠れているのはやめたらどうだ。おまえ自身の名誉になにひとつ汚れはないではないか」

イウェインは皮肉な笑い声をあげた。「実際、おれのことまで悪くいう者もいるんだ。母を逃がしたのがおれだと思っているやつはたくさんいる。国王が二度目に命をねらわれたとき——例の王衣に毒が塗られていた事件のことだ——、おれを指さす者さえいたくらいだ。どんな気がするものか考えてもみろ。おれのことを疑いの目で見て〈裏切り者〉だと考えている〈友人〉はどれほどいるのだろうか、そう思いながら広間を歩いているんだ——」

ガウェインは眉をあげた。「おそらく、みんなは『ほら、あのかわいそうなイウェインがいる。いまだに病気の牛みたいにふらふらと歩きまわって——』とかなんとか考えているのさ」

「なんだと!」イウェインは驚きと憤りのまじった声で叫んだ。「おまえだけはわかってくれると思っていたのに」

「わかっているさ。要するに、甘ったれているにすぎんのだ」

「おれは父のところにいく」イウェインは顔をこわばらせた。

「叔父君だって、少しのあいだ、悩みごとを忘れていたいのじゃないか?」ガウェインがいった。

イウェインはガウェインをにらみつけた。が、その顔に苦笑いが広がった。

「そんなことにも思いいたらないほどばかだとはな。そう思うだろう?」

ガウェインはなぐりかかるかのようにこぶしを突きだすと、イウェインが身をかわす瞬間、その腕をイウェインの肩にまわした。ふたりは、人であふれる大広間に再び目を向けた。

祝宴の支度もすっかり調い、人々はにぎやかに話しながら、三々五々、それぞれの席に向かいはじめている。召使いたちが湯の入った鉢とタオルを手に、高座近くにすわっている領主夫妻たちの間をまわっている。それより身分の低い人々は、大広間の入り口付近に並べられた水盤の前に列をつくって、順番を待っている。

ギャレスとアグラヴェインは、王のまわりに集まった領主たちの輪のなかにいた。宮中にあがっているオークニーの兄弟のなかでいちばん年下のギャレスを、ケイがからかっているようだ――ケイがギャレスをからかうのは珍しいことではなかった。というのも、国王の家令であるケイが度のすぎるからかい方をしても、ギャレスは温厚な態度をくずすことがなかったからだ。初めて宮中にあがり、ケイの従者になってからというもの、ギャレスはケイの格好の標的だった。そもそもなぜギャレスが目をつけられたかといえば、まるで少女のように美しい顔だちをしているうえに、すぐに顔を赤らめるためだった。が、ギャレスは見かけによらずなかなかにしたたかで、とうの昔にケイの扱い方を心得ていて、できるかぎり穏やかにやりすごすのだった。アグラヴェインのほうはずっと気が短かった。少しでも一族が侮辱されたと思おうものなら、あっというまに行動に移る。あまりに気が短すぎて、ケイと言葉を交わすと必ず喧嘩になってしまう。

ガウェインのいる窓際から広間のようすがよく見える。アグラヴェインは、今まさに弟の加勢をしようとしていた。ガウェインは、イウェインをぐっと人々のなかに押しだした。

「さあ、イウェイン。ケイのからかいに耐えられれば、怖いものなしだ。この先ほかのだれがなにをいおうと、なんともなくなる」

まもなく、ふたりは人々の頭の間から姿を現した。人々は国王に敬意を表して、少し離れて立っている。ふたりはその隙間を突っきって前へ出た。ガウェインはアグラヴェインの腕をつかむと、人々の輪から連れだした。思っていたとおり、ケイはすぐさまイウェインに目をつけて、からかいの標的にしはじめた。「おや！　どこかに隠れていた愁いの騎士殿がお出ましのようだな……」

アグラヴェインは、腹立たしげにぐいと緋色の上着のしわを伸ばした。左の胸に飾られたオークニーの紋章、金色のグリフィンがひときわ目をひく。アグラヴェインは、カドール公と同じようにがっしりとした体格をしていた。家族のなかで、コーンウォール人特有の浅黒い肌と黒い髪を受け継いでいるのは、アグラヴェインただひとりだ。ほかの兄弟はみな、父親に似て、色白で手足がすらりと長い。アグラヴェインは最近あごひげをたくわえ（あごひげは明るい赤毛で、髪の色とあっていなかった）、この新しいおしゃれが自慢なのか、あるいはまだ慣れていないためか、絶えず考え深げにひげをいじっていた。アグラヴェインはあごの横をかくと、ガウェインに向かって顔をしかめた。ガウェインは、それはないだろうというように笑ってみせたが、アグラヴェインは顔をしかめたままだ。離れたところにいる者でも、ふたりのようすを見ていれば、どんなやりとりをしているかは手にとるようにわかっただろう。あわやケイと喧嘩になるというところでガウェインにとめられたアグラヴェインは、別な不満の種を思い出したらしく、すぐにそのことについて長々と愚痴をこぼしはじめた。明らかにガウェインにはききあきた話らしく、うんざりしながらも我慢しているのがその顔つきから見てとれる……。

「わかってる、わかってる。モードレッドのことは母上に話したさ。もっとも、無駄だったがな。母上がなんといったかなど、知りたいわけじゃなかろう？　いうことはいつも同じさ。アーサーはわたしの子どもたちをみんな盗んでいくのよ。ギャレスまで家を出てしまったわ。それというのもあなたたちが意地の悪い嘘をついてあの子の愛情をわたしからそらしてしまったからよ――モードレッドはわたしのいい子よ、わたしの坊やなんですからね――」

「坊やだって！」アグラヴェインは吐きすてるようにいった。「とうに十四歳になっているじゃないか！なんてこった！　兄貴もおれも、あいつの年にはほんもののいくさにいったぞ！」

「いくさにいくといっても、今はいくさはおこなわれていないのだからな」ガウェインがいった。

「そういうことをいってるんじゃない。あいつはきちんとした武芸の訓練を受けていないじゃないか」アグラヴェインは嘆いた。「いったい、あそこでなにを習ってるっていうんだ？　このままでは、あいつは我が一族の恥になる。おふくろのところにいればいるほど、あいつはますますだめになっちまうだろう。おふくろはあいつを甘やかしすぎたんだ――すぐさま健全な環境に移さないかぎり、あいつは役立たずの能無しになっちまうぞ」

ガウェインは肩をすくめた。「なるほど、だが、わたしたちになにができる？　母上はあいつをよこしはしないだろうし、だいたい、あいつにしてもこちらへきたがっているようには見えん。国王の名で参上求めるということもできるだろうが、それではずいぶん横暴なやり方に見えるだろう。国王としては、一族の女性たちとまた敵対関係になるようなことは避けたいはずだ。もっとも、このあいだのモーガン叔母の企てのことを考えると、国王は時間を無駄にしているとしか思えんが」

アグラヴェインは顔をしかめると、あごをあげて背筋を伸ばし、大柄な体をいっそう大きく見せようとした。

「家に帰って、おふくろと話をしたほうがよさそうだな。おそらく、おふくろにはよくわかっていないのだ、自分がいかにモードレッドの出世を妨げているのか」

「まあ、話してみることだな」

アグラヴェインはいかめしい顔でうなずくと、さっさと自分の席を探しにいった。

ガウェインのうしろで、だれかがおそれいったというように口笛を吹いた。ガウェインが振りむくと、ガヘリスがいた。

「アグラヴェイン兄さんは、母さんのやり方はまちがっていると指摘しにいくつもりなんだな？ ま、幸運を祈るよ。運に頼るしかないんだからな」ガヘリスは笑った。馬上槍試合の二日目におこなわれた集団戦で、目のまわりにあざ、顔の片側に長いすり傷をつくっているため、どのような表情をしてもいくぶん歪(ゆが)んで見える。

ガウェインはほほえんだ。「やあ、どういうことになるかはわかるだろ。アグラヴェインが母上のところへいって、どなりちらす。母上がののしりかえす。それから、アグラヴェインは我々のところへもどってきていう。『じきにおふくろにもわかるさ』とかなんとかな……」

ガヘリスは、さも驚いたというふうを装った。「兄さんは、コーンウォール人特有の千里眼を受け継いでいるにちがいない!」

そういいながらも、ガヘリスの視線はゆるやかに兄からそれていき、異性にだけ向ける、親しげで快活なほほえみが広がった。ガヘリスはガウェインの腕に軽く触れ、「失礼」と低い声でつぶやくと、人々の間をすり抜けていった。

金髪、青い瞳、淡い薔薇色を帯びた白い肌……ガヘリスが歩いていくのを見つめながら、ガウェインは思った。あいつはもともと女性をひきつける容姿をしているが、目のまわりにあざができたりすると、女性たちはほとんどあらがいがたい魅力を感じるようだ。ガウェインはほほえみながら振り返って、高座のほうを向くと、王妃と司教の間に用意された自分の席に向かった。

再び中二階からファンファーレが響きわたった。まだ席についていなかった者はあわてて席についた。ティンパニーが威勢のいいリズムを刻み、そこへたて笛の一団が加わる。大広間の入り口の扉が一斉に開き、執事のルーカン卿が、最初の料理を捧げもった召使いたちをうしろにずらりと従えて入ってきた。

召使いたちは、最後の料理の皿を片づけはじめていた。大広間の祝宴に集う人々はみな、楽しい余興が始まるのを待ちうけている。もっとも、なにを楽しいと思うかは、人によってずいぶんちがっていた。

「わたくしは、ダマスに新作の詩を朗読してもらいたかったのです」王妃はガウェインにいった。「ところが、ケイとルーカンは、田舎の地主が大勢出席するのであれば、軽わざ師のほうが喜ばれるだろうというのです」王妃はため息をもらした。「そうかもしれませんけれど、試しに詩を朗読してもらってもよかったのではないかしら。だって、すばらしい詩をきく機会がなかったら、どうして好きか嫌いかわかるでしょう?」

「どういうものをすばらしい詩とおっしゃっているのかによりますよ」ガウェインがこたえた。「地方の地主たちはみな、詩は好きだといいはるでしょう——ただし、あの人々が好きだという詩は、戦いや殺しの場面がたくさん出てくるようなものです。恋物語をきいてあの人々が退屈してしまうのと同じように、そういった詩をおききになったら王妃様も退屈なさるでしょう。いずれにせよ、軽わざ師の芸はなかなかおもしろいですよ」

王妃は鼻にしわを寄せた——そのような顔つきをしても、美しさを損なう心配は少しもなかった。たとえ鼻にしわを寄せても、ほかのさまざまな表情を見せるときと同様、すばらしく魅力的だったからだ。

「そうかもしれませんわね。あのなかに女の子がひとりまじっているわ、踊りがとっても——あら!」王妃は高座の上から大広間の奥を見つめた。「あの男はだれかしら、軽わざ師じゃないわ!」

壁際に並んだテーブルの下座から大柄な男が立ちあがって、高座を見あげていた。華やかな服を着ておしゃれに髪を整えた人々のなかで、この男は人目をひいた。体が大きいせいばかりではなく、黒い服と、ライオンのたてがみのようなぼさぼさの髪とあごひげが、この男を目立たせていた。男は一歩前に出ると、両手の親指を服のベルトにかけた。

「国王陛下!」男が大声で呼びかけた。「わしが楽しい余興をご披露いたしましょう!」

男は大仰に腰をかがめてみせた。広間の人々のあいだに気まずい沈黙がながれた。

「まあ！」王妃が低い声をもらした。「もう酔っぱらって。なんと見苦しい」

ガウェインはなにもいわなかった。男は荒々しい声をあげ、体を揺らしていたが、ガウェインには男が酔っていないことがわかっていた。それまで、だれかが酔って手に負えなくなっているというような動きはまったくなかったのだ。が、いずれにせよ、テーブルの間に無骨な姿が現れたとたん、ガウェインにはそれがだれかわかった――いったいゴームの息子のグリムは、新年の宴の余興として国王になにをお見せするつもりなのだろうか。見当もつかない。しかし、グリムの申し出には善意や祝宴を盛りあげようといった気持ちがほとんど感じられない、それだけははっきりしている。

王が、天蓋の下の席から立ちあがった。

「それはありがたい」王はにこやかにこたえた。「して、それはどのような余興かな？」

グリムのふさふさとした白いあごひげのなかに、年寄りじみた黄色い歯がむきだしになった。

「物語をおきかせしたいと思いまして、陛下。驚異のできごとや奇妙な冒険の話をおききになるのがお好きとのこと、そこで、このわしの家で十日前に起こったことをお話ししようとやってまいりました」

「それはどのような話か？」アーサーもまた妻と同じように、この男のことを酔っているものと思ったらしく、注意深くたずねた。

「ひとりの騎士の物語でございます、陛下。その男は、わしの家を訪ねてきて、陛下の血筋にあたる者だと名乗りました。ふるまいは謙虚で、話し方も礼儀正しかった。ところが、これ以上ないというほどひどいことをしたのです！　驚くべきことではありませんか、陛下？」

「驚くばかりではない、大いにけしからん」王がいった。「しかし、この大広間で法の裁きを始めるのは明日だ。そなたの話は、そのときにもちだしたほうがよさそうに思うが。なにも今、祝宴の余興にせずともよいのではないか」

「わしの話はおききになりたくないとでも？」笑みが消え、グリムの表情が険しくなった。

「そうではない。この場はふさわしくないといっただけだ。さあ、席について、くつろがれよ。しかるべきときに、きこうではないか」王は自らも席についた。話はきくから心配はいらないとでもいうように、どっしりとかまえている。

「なんですと？」大男はゆっくりと広間を見わたした。「宮殿に集う方々は正義をこよなく尊ばれると、ききおよびましたがね——それならば、不正を耳になさったときには、すぐに正そうとなさるのではありませんか？　それとも、お身内のひとりが罪を犯された場合には、そのことに触れたくないとでも？」

　大広間の上座のほうから憤然とした声があがった。が、ずっと下座のほう、グリムの席のあたりからは、グリムの肩をもっているような声があがった。主賓席のいちばん端にすわっていたベドウィアはそのときまで、目の前で起こっていることがケイ夫人との会話を中断するほど大切なこととは思っていなかったのだが、今はきっと目をあげて、グリムに声援をおくっている連中をつきとめようとしていた。ベドウィアは首をめぐらして、司教と視線を交わした。主賓席のもう一方の端では、ケイが、喧嘩相手の力を見定めるような目でグリムを見ている。カドール公は王を見つめている。ガウェインは前を見つめたまま、待っている。

「このアーサーの裁きが偏っているなどと、だれにもいわせはしない」王が落ち着いた口調でいった。「この祝宴は不平不満に耳を傾けるべき場ではないが、そなたがひどい目にあってそれほど困っているのなら、これからその話をきくとしよう。そののち、しかるべき裁きをくだす」

グリムが満足そうに浮かべた笑みは、喜びの表情――やっとのことで願いがかなった男の表情――には見えなかった。よく響く声にはなぜか、心からの憤りというものが感じられない。司教は身をのりだした。まるで、そうすれば男の言葉の裏に隠された真意が見ぬけるとでもいうようだ。ベドウィアはまだ大広間の下座のほうに注意を向けている。

「陛下」グリムがいった。「十日前の日暮れに、ひとりの男が一夜の宿を求めてわしの家の門をたたきました。わしはその男に充分なもてなしをしたのですが、男は恩を仇で返し、わしの娘に乱暴をはたらいたのです。陛下、その男の命をいただきとうございます！」

「それはゆゆしき罪だ」王はいった。「その事実が証明されれば、その者に重罰を与え、罪を償わせよう」

「証明ですと？」グリムはばかにしたようにいった。

「証明だ」王の声が冷ややかになった。「なんの証拠もない訴えで人を裁くことができるなら、誹謗中傷する者たちが裁きをくだし、刑を執行することとなろう。そなたの娘は乱暴をはたらいた者を指し示さねばならぬし、その男には弁明の機会が与えられねばならぬ」

王の言葉に、グリムはあからさまにせせら笑ったが、深々と頭をさげて自分の席のほうを見た。黒のローブをまとい、黒のヴェールをかぶった小柄な人物が立ちあがり、おとなしく歩いてきてグリムの脇に立った。

「さあ、きかせてほしい」王がいった。「その男はここにいるかね？」

グドルーンはさらに一歩前に出ると、フードをうしろに押しやり、ヴェールをあげた。ガヘリスは好奇心に駆られて身をのりだした。娘は大広間を見まわすそぶりも見せず、まっすぐにガウェインに目を向けると、その視線を王へ移した。

「王妃様の隣にすわってる人がそうです」娘がいった。

大広間にどよめきがわきおこった。驚きの声はすぐに、娘への憤りと多少のあざけりに変わった。しかし、これに対して、怒りのこもった不満の声が一斉に——いくらかそろいすぎて——あがった。さきほどグリムの意見に賛成の声をあげた一角からだ。まるでこの一角の客にとっては、グドルーンの劇的な告発が少しも驚きではないようだ。

王が顔を向けるより早く、ガウェインは立ちあがった。さまざまな思惑に興奮した人々の声が、まだ高くなり低くなりしてつづいている。立ちあがりはしたものの、ガウェインは苦々しく思っていた。勝負はついたも同然だ。これは、へまをして追いつめられたというよりは、恥ずかしいほどやすやすとあの親子の罠にはまってしまったということなのだ。

「ガウェイン卿、なにか申し開きはあるか？」王が私情を交えないものいいでたずねると、どよめきが静まった。

「あの男にどんな申し開きができるというんです？」グリムが大声をあげた。「自分に相当自信があるようで、娘にこれをくれたほどなんですからな」グリムはブローチを掲げた。ゴーム谷を去るときに、なくしたことに気づいたブローチだ。「ガウェイン卿が娘の処女の代価にしたブローチに、見覚えのある方はおられませんかね？」

男も女も身をのりだした。その装飾品に見覚えのある者もいれば、見覚えがあるふりをしているだけの者もいた。ブローチがガウェインのものだという言葉が、興奮のうねりとなってテーブルをかけめぐった。ガウェイン自身は、あやうく噴きだしてしまうところだった。これほど単純であからさまな嘘をつきつけられるとは思ってもみなかったのだ。

「確かに、そのブローチはわたしのものです。しかし、人に与えたおぼえはありません。その男の厩でわたしのマントから落ちたか、あるいは、まさにこのような方法で利用するためにその男が盗んだかのいずれかです。すべては、わたしがその男の屋敷に着くまえから計画されていたのでしょう。というのも、屋敷の門にたどりついたとき、その男はわたしの名前を知っていたのですから——わたしが何者であるかを知っていたばかりか、わたしがくることがあらかじめわかっていたというようでした！」

「それでは、この男が訴えでている事柄を否定するのだな、ガウェイン卿？」王がたずねた。

「そのとおりです」ガウェインがこたえた。

「それでは、娘があなたの部屋にいたことも否定するおつもりか？」グリムが怒りくるってわめいた。「娘に手を触れたことも否定すると？」

ガウェインは口ごもった。グドルーンが見つめている。なんとばかなのだ、ガウェインは我が身の愚かさに腹をたてた。

「これ以上お話しできることはありません」ガウェインはいった。大広間のほかの席からも、それほど声高ではなかったが、例の一角から、嘘だ、信じられん、などと声があがった。ガウェインを疑うようなざわめきが起こっていた。

「ガウェイン卿、つまりこういうことですかな」司教が口をはさんだ。「そなたとその若いご婦人のあいだになにがあったにせよ、ご婦人との合意のもとになされたと？」

「その娘さん——あるいはお父上——が立腹なさるようなことはなにも起こらなかった、といっているのです」ガウェインがうんざりしたようにいった。

「いいえ！」グドルーンが荒々しく叫んだ。「あの人は、あたしの頼みをきこうとしなかったんです！ちがうとはいえないはずです！　陛下、それに、あのとき、あの人ははっきりと誓って——」

ガウェインには、娘がひどく脅えているのがわかった。あの娘は身の危険を感じて、嘘をついている。娘の感じていることにまちがいはないだろう。ガウェインは、あのときグドルーンに無理にさせられた、そしてこのようにひどい結果を招くこととなった〈だれにも話さない〉という約束を守るよりほかなかった。ガウェインは肩をすくめると、かすかにほほえんだ。

「少なくとも、娘さんに誓ったことがあるというのはほんとうです」

ボールドウィン司教は顔をしかめた。「して、そなたの誓ったこととは？」

しかし、グリムはガウェインにこたえさせまいとした。娘とガウェインのやりとりをきいていて、どうも妙だと思いはじめていたのだ。ここで口をはさまなければ、せっかく手順を整えた芝居がその筋書きを離れていくのではないかと心配しているようだ。

「娘と結婚する気なんかないといったんです、神にかけて誓ってもいいが、もともと結婚する気などなかったし、そんな約束はしていない、と!」グリムはわめいた。「そりゃあ、そうでしょうな。なんといっても、結局はアーサー王の姉上のご子息ですからな。どのような訴えも即座に退けられるでしょうよ!」

大広間の下座のほうでグリムを声援する声が、ますますあからさまになった。そのなかから、ひときわ大きな声があがった。「国王は身内を守るために裁きをおこなうのか?」

その一角以外の席では、多くの者が無礼な騒ぎを起こしている連中を腹立たしげに見ていた。その一方で、ひどく気まずそうにしている者もいた。ガウェイン卿がすべてをはっきり否定してくれさえしたら。ガウェイン卿が説明してくれさえしたら……。

ふいに、ケイが顔を輝かせて、身をのりだした。解決策がひらめいたとでもいうようだ。

「証明するのはわけないことだ、そうじゃありませんか? その娘を医者に見せればいい。処女か、あるいは暴行を受けた痕跡が認められるか、どちらかだ」ケイは同意を求めて主賓席を見わたした。が、テーブルの向こう端で、ケイの奥方が必死に、もうそれ以上なにもいわないで、という顔つきをしているばかりだ。コーンウォールの公爵夫人はあきれかえったような、そして王妃は困惑したような顔つきをしており、窓際のテーブルについている婦人たちの何人かは憤慨して互いに顔を見あわせている。

「その娘が激しく抵抗したとは思えない」イウェインは皮肉っぽくいった。「なぜ、そのとき娘は声をあげなかったのです？　自分の家にいたのですよ——声をあげれば、だれかにきこえただろうに。それに、なぜ十日もたってから訴えを起こしたのだろうか？　抵抗したときにあざができたとしても、消えてしまうではありませんか」

イウェインの言葉も快く思われなかった。というのも、グドルーンはまぎれもなく苦悩の色を見せており、そのことのほうがいかなる道理よりも説得力をもちはじめていたからだ。グドルーンは大広間の中央に体を震わせて立ちつくし、ガウェインをじっとにらみつづけていた。

「ガウェイン卿が望むなら、調べてもらってもよいと思うが……」王は気が重そうに口を開いた。

「いいえ、そのようなことは望みません」ガウェインがいった。

「ご自分の罪が証明されてしまいますからな！」グリムはせせら笑った。

「そなたの娘に人々の前で恥をかかせたくないとの配慮かもしれぬぞ！」王が厳しい声でいった。しかし、その言葉も、グリムの主張につづいて起こった怒号にかき消されてしまった。

ギャレスはうろたえて、兄たちを振り返った。

「みんな、ばかじゃないの？　あの娘の体を調べてくれといったら、兄さんは人でなしといわれるだろう。そのくせ、調べないでくれといったら、兄さんに罪があるからだといわれる！　どっちにしても勝ち目はないじゃないか！」

「どうやら、それがやつらのねらいらしい」アグラヴェインがこたえた。「しかし、兄貴に危害がくわえられるようなことがあれば、男だろうが女だろうがそれに関わったすべてのやつに復讐してやる」

「言葉に気をつけたほうがいいぞ」ガヘリスがいった。いつもと変わらぬ静かな口調だが、顔は怒りでこわばっていた。「ガウェイン兄さんがこの件で死ぬようなことになれば、その死を命じるのは国王ということになるのだからな」

大広間の下座のほうからあがる怒声は、いっこうに衰えずにつづいていた。その声ほどやかましくはないものの、いまやいたるところから困惑したような不満気なつぶやきがきこえていた。出席している人々のなかには、なにかしらわけがあるのか、このときとばかりに「ガウェイン卿はあまりにできすぎていると思っていた」と悪びれもせずにくさす者がかなりいた。また一方、野心に燃えた貴族たちの有力グループはかなり以前から、国王の甥たちは国事において目立ちすぎている、と感じていた。そのうえ、「ガウェイン卿が、そのようなことをするはずがありませんわ」と憤慨していう婦人がいれば、必ず「女の申し立てる苦情はけっして正当に裁かれることがないのよ」と苦々しげにいう者がいた。騒ぎがしだいに静まったところへ、大きな声が響いた。

「なにゆえに、ガウェイン卿は自らことの成りゆきを説明なさろうとしないのです?」窓際に並んだテーブルの上座から、意味ありげに問う声があがった。

「できないのです」ガウェインは弱りはててこたえた。「いえることは、わたしが潔白であるということだけです」

「これ以上なにを話す必要がある?」グリムのわめき声が一瞬、人々のざわめきをかき消したが、ざわめきはすぐにまた大きくなった。「不実な騎士を裁け！　国王は甥を平民と同じように罰せよ！」

王が立ちあがり、主賓席の両端のケイとベドウィアも立ちあがった。大広間はようやく静かになった。

「すべての人々に公正な裁きがもたらされなければならぬ」王がいった。張りあげたわけではなかったが、その声は大広間の隅々まで届いた。「この国の最も貧しい者と同じくわたしの甥にも。最も偉大なるものも最も身分の低い者も、等しく公正な裁きを受ける権利を有する――しかし、ここに集う者は、村の広場に集まってどこかの老婆を水責め椅子に追いたてるやじ馬連中でもなければ、法の裁きを司る者でもない。ガウェイン卿は、訴えられはしたが、まだ裁きにかけられてはいない。だれがなにに対して罪を犯したのかは、いまだ明らかにされてはおらぬ」

グリムの仲間からぶつぶつと声があがったが、ほかの人々は押し黙ったままじっとしている。多くの者が、気まずそうに恥じいっている。

「我が王領では、三種類の裁きが認められている」アーサー王はつづけた。「ガウェイン卿はその三種類、すなわち、自分と等しい身分の陪審による裁判、あるいは試練にさらされて、それに耐え得れば潔白だと認められる神明裁判、あるいは一騎打ちのなかから、裁きの方法を選ぶことができる。公正な裁きがおこなわれることを願う者は、ガウェイン卿が自ら裁きの方法を選択すること、そしてわたしが裁きの日を定めることに同意してくれるものと信ずるが」

王は広間を見わたした。さすがに、声をあげる者はいなかった。グリムは娘のうしろに突ったったたま、両の親指をベルトにかけて体を前後に揺らし、あざけるような笑いを浮かべていた。

「わしがガウェイン卿なら、一番目の方法を選ぶでしょうな」グリムがいった。「なにしろ、ガウェイン卿の場合、等しい身分の陪審といったらほとんどが身内だ。それとも、一騎打ちのほうがもっと有利かもしれん――なんといっても、ガウェイン卿はクリスマスにおこなわれた国王主催の馬上試合で優勝をかっさらった騎士だ。ガウェイン卿と互角に戦えるような戦士を探してくるなんて、山から出てきた田舎者にはどだい無理ですからな……」

ガウェインは肩をすくめた。「グリムが神明裁判を望むのなら、それを受けましょう」

ガウェインは早くこの件にけりをつけたくてこう答えたものの、内心驚いていた。というのも、陪審によって裁かれるより神明裁判のほうが有利に思えたからだ。なにしろ、グドルーンは父親を恐れているし、自分はグドルーンとの約束を守らねばならない。こうした事情に縛られていては、真実を明らかにすることなどできないだろう。

「それでは、神明裁判の試練はぜひともわしに決めさせてもらおう！」グリムがわめいた。あたかも、もうこれで勝負は決まったとでもいうような、勝ち誇った表情をしている。

司教は腰をうかせた。

「そんな話はきいたことがないぞ！」司教は怒りをあらわにした。「それは教会の――」

「司教様、かまいません」ガウェインがいった。「グリムがわたしにどのようなことを望んでいるのかきき、裁きをすませましょう」

敵はにんまりした。

「大変に賢明なことですな、ガウェイン卿。井戸に投げこまれたり、真っ赤に焼けた鉄を握らされたりするのはお嫌でしょう？　わしが考えているのは、もっと簡単で、この件にふさわしいこと。ただ、わしの問いにこたえていただきたい、それだけです。正しくこたえることができれば、ガウェイン卿は潔白。しかし、正しくこたえることができなければ、お命をちょうだいしたい」

驚いた人々は一瞬静まりかえったが、すぐにざわめきが起こった。王は怒りにきっと口を結んでいる。

「神聖な裁きを冒瀆（ぼうとく）してよいものだろうか？」王がいった。「ひとりの人間の命が謎解きに賭けられてよいものだろうか？」

「陛下、グリムに問いを出させてください」ガウェインがいった。「ただし、グリムは正しい答えをここにいるだれかに教えておかなければなりません。その人物が裁定者というわけです」

大男はますますうれしそうな顔をした。

「大いに結構。ガウェイン卿にはたっぷりと時間を差しあげましょう――一年ではいかがかな。そう、今日から一年後に、この高貴な方々の前に再び立っていただきましょう。場所はどこであろうといっこうにかまいませんぞ。そして、この問いの答えをきかせていただこう。〈すべての女が最も望んでいることとはなにか？〉これが問いです。そして、裁定者は……」グリムは思案顔で、見まわした。「裁定者は王妃様にお願いいたしましょう！」

グリムが問いを口にしたとき、それまで恐ろしさのあまり茫然（ぼうぜん）と人々のやりとりを見ていた王妃グウィネヴィアは、見るからにほっとしたようすだった。が、グリムから裁定者に名指しされると、体を硬くして、グリムをじっと見た。その顔に疑わしげな表情が広がっていく。

グドルーンはその場にくずおれた。


ガウェインとイウェインは、〈控えの間〉の窓辺で、チェッカー盤をはさんですわっていた。ギャレスは、反対側の窓辺で長々と横になって本を読んでいる。アグラヴェインとガヘリスは、横長の衣装箱の両端に向かいあってすわり、たいして気がのらないようすでサイコロを振っている。暖炉の前の腰掛けにすわっているケイが、ときおり勢いよく立ちあがっては大広間を見わたすことのできる小窓をのぞきにいく。何度目かのこと、それまでと同様なんの成果も得られぬままもどってきたケイは、ギャレスの傍らで立ちどまった。ギャレスは本から顔をあげた。

「こんな暗がりで本が読めるわけがないだろう」ケイがいらだたしげにいった。

「問題は、我々が明かりを求めることのできる身なのか、それとも、全員が囚われの身なのか、ということだ」ガヘリスだ。

「兄貴が囚われの身なら、我々もみなそうだ」アグラヴェインが怒りのこもった声でいう。

「ばかなことをいうのはよせ！」ケイはぴしゃりというと、扉に歩みより、戸口から「ロウソクを灯せ！」と小姓に向かってわめいた。小姓の少年は点火用の細長いロウソクで部屋の明かりをつけてまわり、ケイは暖炉に薪をもう一本くべた。少年が出ていくと、ケイは背筋を伸ばしてガウェインを見た。「あの娘の気が変わったということか？　それとも、その晩おまえといっしょにいたことを父親に知られたものだから、あとからあんな話をでっちあげたのか？」

ガウェインは立ちあがると、窓から離れた。

「まったくすばらしいよ。親しい仲間がいかにわたしの言葉を信じてくれているか、よくわかった」ガウェインは苦々しげにいった。「あの娘にはその気があったのか、気が変わったのか、ほんとうにあれはすべてあの娘が企んだことなのか、だと？　あの娘にその気があろうとなかろうと、あの娘とはなにもなかったのだ。だが、そういっても信じてくれるのは、どうやらパーシヴァルだけのようだ——もっとも、あいつがいくら肩をもってくれたところで、たいして役に立ちそうもないが」

「そのとおりだな」ガヘリスが楽しそうにいう。「あいつときたら、この世界には男と女がいるということも知らずに育ったようなやつだ。この件では、まともな判断なんかできないさ」

ケイが興味を示した。「それでは、あいつは母親のところの修道女たちと自分のちがいにも気づいていないというのか？」

「気づくものか。おそらく、修道女たちとそういう間柄になったことなどなかろう。あなたやガウェイン兄さんと知りあったころのあいつときたら、ろくにひげも生えていなかったんだ。修道女のなかには、あいつよりよほどひげの濃いものがいただろうな……」

「パーシヴァルがどんな性教育を受けたかだと？　それがそんなに大事なことか？」ガウェインがぴしゃりといった。「事実はこうだ。愛すべきうぶなパーシヴァルを除けば、おまえたち全員がわたしの潔白を疑っているということだ。そうとも、おまえたちはわたしのためにいろいろと弁解をしてくれるだろうさ。親切きわまりないことにな。しかし、心の底では、わたしが、もてなしてくれた主人の娘に乱暴をはたらいたとか、そそのかしたとか、あるいは彼女の善意につけこんだなどと思っている。ありがたい仲間をもったものだ！」

ケイは気まずそうな顔をし、ガヘリスがガウェインにこたえた。

「男たちは、そんなふうに思っているかもしれない。しかし、女たちは、だいたい半々に分かれているだろう。女のうち半分は、潔白だろうと思っている。というのも、兄さんは自分たちになんの関心も示さないのだから、ほかの女にも興味をもたないにきまっていると思いこんでいるのさ。あとの半分は、潔白を疑っている。なぜなら、兄さんが自分たちに関心を示さないのは、ほかのだれかとこのうえもなく不名誉なことになっているからではないかと勘ぐっているのだ」

「少しは黙ってられないのか？」アグラヴェインはサイコロを投げだして、脇に押しやった。「笑いごとじゃないんだぞ。これは、明らかに兄貴の命をねらう陰謀だ」

ガヘリスは眉をあげ、つぶやいた。「なんてことだ。なぜだれひとりそのことに気づかなかったのだろう？」立ちあがって小窓に歩みよると、低く息をもらして大広間を見おろし、振り返った。「どうやら、国王がようやく話しあいを終えたようだ」

そのとき、階段から足音が響いてきた。

扉がさっと開いて、王妃が足早に入ってきた。そのうしろに、王とベドウィアがつづく。ギャレスとイウェインとアグラヴェインが立ちあがった。ベドウィアは振りむいて、小姓や侍女たちをさがらせると、扉を閉めた。王妃グウィネヴィアは、暖炉の前の背もたれの高い椅子に腰をおろすと、怒りで身を震わせながらガウェインを見あげた。

「ガウェイン卿、あの連中があなたを手にかけようとしているのに、国王は好き勝手にさせるおつもりですわ」

王はいらいらと息を吸うと、首を振った。王妃が国王をにらみつける。

「これがどういうことかおわかり？　あの――あの獣がわたくしを裁定者に定めたということが、どういうことなのか？　わたくしがあなたに手を貸すことのないようあの男が仕組んだことだ、と国王陛下はおっしゃいます。わたくしなら、あの男の卑劣な問いの答えを教えることができましたのに！」

「それでは、まちがいなく、ほかにも答えを知っている者がおりましょう」ガウェインは、どうということはないというように、努めて明るい声を出した。「ともかくも、答えがあるとわかって、ほっといたしました」

王妃は皮肉な笑い声をあげた。

「どこかで答えにいきあたったとしても、それが答えだということがどうしてわかるのです？　わたくしはほんの少しも手引きできないのですよ――それが正解だということを、わずかな言葉、わずかな身振りで示すことすらできないのです。国王がそうしろとおっしゃるのですからね！」

「陛下はそうなさる以外にないのです」ベドウィアがいった。もう何度も同じことをいったといわんばかりの口調だ。

「そうでしょうとも！」王妃はぐいと頭をそらした。はちみつ色の金髪がひと房、宝石をちりばめたネットからはみだしている。王妃は、それをいらだたしげに顔から払いのけた。「裁きはおこなわれなければなりませんものね！　その評判になにひとつ汚点のない国王の甥と、どこかの身持ちの悪い小娘のどちらが嘘をついているのかということになれば——明らかにそれは国王の甥にちがいない、そういうことですのね？」

「告発されたときにはっきりと否定しなかったのはだれか、思い出してください。あれでは、いい印象を与えたとはいえませんな」

「約束してしまったのです。そのために申しひらきすることができないのです」ガウェインはうんざりしていった。「あの娘の命が危険にさらされるかもしれなかったのです」

「娘の命ですって？」王妃が叫んだ。「ご自分の命はどうなのです？　約束のことなら、心配はいりません。国王には、あなたをいかなる誓約からも解き放つ権限がおありです。そうでしたわね？　ことに、今回のような場合には。だって、どう見ても、あなたは計略にかけられたにちがいありませんもの」

「もう遅すぎます」ガウェインがいった。

王妃は、肩をそびやかしてガウェインを見た。

「なぜ？」王妃は、王のほうへ顔を向けた。「なぜですの？」

「ガウェインのいうとおりだ。今、ガウェインを約束から解放し、その約束のために申しひらきができなかったのだと説明すれば、人々は、ガウェインを救うために我々がでっちあげた話だというだろう」

王がいった。

「人々がなんといおうと、どうでもよいではありませんか？」王妃は、険しい目で部屋を見まわした。

「グウィニー、おまえにはよくわかっていないようだ。この件では、人々がなんというか、そのことこそが重要なのだ」

「わかりましたわ」王妃は不快感をあらわにして、王を見た。「わたくしの頭では理解できないと思っていらっしゃるのね。男の問題に口をはさむなと。わたくしのかわいい頭を悩ませるなと――」

「グウィニー！」王妃の言葉をさえぎって、王がいった。「頼むから、少し話をきいてくれ。これが陰謀だということくらい、我々はみな、わかっている。ガウェインはあの男の計略にかかって、充分な申しひらきをすることもできない。だが、この陰謀は、ガウェインひとりに向けられたものではない。わたしとおまえ、いや、我々すべてに対する陰謀なのだ。我々が実現しようとしてきた正義に傷をつけようとしているのだ。わたしがガウェインを少しでも特別に扱えば、人々はいうだろう――ほかの者には秩序を守らせるが、身内の者には好き勝手をさせる、とな」

「けれど、ガウェインに対するあなたの扱いは、特別どころかほかの者以下ではありませんか」王妃が異議を唱える。「ほかの者の場合には、訴えでた者に裁きの条件を定めさせたりしないでしょう」

「身内には厳しくせざるをえないのです。ひいきしていないということを示すためにね。確かに、公平ではないかもしれません。が、そういうものなのです――身内に対するときには」ケイがいった。

「それでは、だれかがわたくしの陰口をたたいておもしろがるようなことがあっても、わたくしには夜の女ほどにも思いやりをかけてくださらないということですのね。そういうことでしょう?」王妃が憤然といった。いまや、不信の念が怒りにとって代わろうとしている。

「そういったところだ」王はそっけなくいった。「あの男を支持する声をきいたろう。明らかに打ちあわせてあったものだ。が、そうとわかっていても、人々はその声にまどわされてしまった。あのような状況では、我々はその場で身の潔白を証明するか、ことの成りゆきを受けいれるしかない」

「それでは、こういうことになりますわね」王妃はゆっくりといった。「あなたがガウェインに対する訴えを退ければ、人々はガウェインをかばっているといい、それを口実にあなたに対する反乱を起こす。もしあなたが訴えを認めれば、あなたは優れた家臣をひとり奪われることになる」

「最も優れた家臣、というべきでしょう」イウェインがいった。

「ここにいる者すべてが認めるところだな」ケイが愁いを帯びた声でいう。

ベドウィアが暖炉のそばにきて、炉棚にもたれた。

「しかし、事態はもっと深刻だ」ベドウィアは、オークニー一族の顔を順に見た。「最も優れた家臣であろうと、家臣をひとり失っただけでは、国を揺るがす大打撃にはならぬだろう。問題は、国王が失うのはひとりではないということだ。そうだろう、アグラヴェイン?」

「そのとおりです」アグラヴェインはうつむいて、床をにらみつけた。「陛下が兄の命を不当に奪うようなことがあれば、わたしは陛下に従うことはできません。そう思うのはわたしだけではありますまい。おそらく、ほかの兄弟も」

「それに、わたしも」イウェインが言葉をはさんだ。

「いかん！」ガウェインが声をあげた。

「すまない、兄さん。離れる。しかし、万が一にも〈そのような事態〉になれば、この問題はもう兄さんの手を離れる。そのときには、我々は、なにをなすべきか心を決めなければならない」ガヘリスがいった。

「でも、それはあんまりですわ！」王妃が声をあげた。「そんな事態になったとしても、国王のせいではありませんもの！」明らかに、夫の責任問題について考えを変えたようだ。

「そうかもしれませんが、」アグラヴェインは頑として譲らない。「陛下と同様、我々にもまた果たさねばならぬ義務があるのです。一族の名誉に関わる問題ですから。叔父君ならわかってくださるでしょう」

「もちろんだとも」王の声には疲労が表れていた。「このような状況では、当然の成りゆきだ」

「それでは、あの連中がわたくしたちやわたくしたちの体制を打ちのめそうとしているときに、なにひとつできることはないというわけですのね？」王妃の怒りは落胆に変わった。

「していただけることがございます。ぜひ、王妃様のお力をお貸しください」ガウェインがいった。「グリムの娘、グドルーンを保護してやっていただきとうございます。父親の手の届かないところで守られていると確信できれば、あの娘は自分から訴えを取りさげるかもしれません」

「なんですって？」王妃は背筋を伸ばした。「あの身持ちの悪い小娘をわたくしの住まいに入れるですって？」

「娘を買収したといわれるのがおちだ」ケイがいった。

「重要な証人であるから保護する必要がある、そういってはどうか」ベドウィアだ。

「そして、ガウェイン兄さんはそのあらがいがたい魅力で――女たちにとって命とりともなる魅力で――グドルーンに迫る……」ガヘリスが口をはさんだ。

「だれにとっての命とりだ？」ガウェインは顔をしかめた。「そのようなことをしたら、ますます事態を悪くするということがわからないのか？　いずれにせよ、わたしはここにとどまるつもりはない。明日、宮廷を離れる」

「なぜです？」王妃がたずねた。

ガウェインは肩をすくめた。「とどまれば、耐えがたい立場におかれることになるでしょう――国王もまた、同じ思いをなさることになる」

「ガウェインのいうとおりです。グリムとその一味は、ガウェインを一年のあいだ牢に閉じこめるべきだと主張しました。保釈金を積み、連中の思いどおりにはさせなかったが、ガウェインが相変わらず王族の王子として扱われているのを見たら、あの連中はひどく騒ぎたてることでしょう」ベドウィアがいった。

王妃は納得がいかないようだ。「けれど、ガウェインは、まだ正式に裁きを受けたわけではないでしょう――なぜ、あたかも罪人のように扱われなければならないのです？」

「まだ疑いがかかっているからです。疑いが晴れるまでは、国王にお仕えするにふさわしいとはいえません。いずれにせよ――」ガウェインはほほえんだ。「ここから離れれば、わたしの名誉だけでなく王妃様の名誉も守られることになります。これから十二か月のあいだわたしがいつもおそばにいるとしたら、王妃様は、あの問いの答えをわたしに教えたいという誘惑にあらがうことがおできになるでしょうか？」

王妃は軽蔑と怒りでかっとなって、立ちあがった。

「名誉ですって？　みんな、気は確かですの？　死んでしまったら、名誉がなんの役に立ちましょう？グリムの一味と、オークニー――それにレゲッド――の王子たちとのあいだで王国が分裂するようなことになったら、名誉などわたくしたちにとってなんの役に立ちましょう？」

「そうではないよ、グウィニー」王がいった。「そういう考えは――」

しかし、このたびばかりは王妃も黙ってはいなかった。

「考えなんかではありませんわ」王妃は声を荒らげた。「常識です。あなたがた男性は、名誉だの正義だの真実だのについてご立派な考えを口になさいますけど、そのようなものにいったいどのような意味があるというのです？　名誉だの正義だのをうとましく思っている悪漢が現れたとたん、なにもかもクモの巣のように払いのけられてしまうのです。文明などというものは、万人が規律に従って行動してこそ、保たれるもの。ほしいものが手に入らず不満をもっている者が棒きれを一本つっこんだら、たちまち崩壊してしまうのです。結構ですわ、それほど大切なら、その名誉とやらをしっかりお守りなさいませ。きっとずいぶんとお役に立つでしょうよ！」

王妃は足音も高く部屋を出ると、たたきつけるように扉を閉めた。石造りの階段を駆けあがり、〈王妃の間〉に入る物音がきこえる。

「これだから女は！」イウェインはため息をついた。

ケイは、言葉を慎めというように顔をしかめたが、なにもいわなかった。

「グウィネヴィアも本気でいっているのではない」王はいいながらも、実のところ、そうであってくれればよいがと思っていた。

「我々もみな、ときに、王妃様と同じことを考えたことがあるのではありませんかな？」ベドウィアがいった。

ガウェインは窓際にもどると、チェッカー盤から駒を拾いはじめた。「ご覧のとおり、すでに我々のあいだにひびが入りはじめている」

「我々も、宮廷を離れたほうがよさそうだな」イウェインがいった。「おれはガウェインについていく」

「いや、わたしはひとりでいくつもりだ」ガウェインがこたえた。

「だが、オークニー一族が宮廷を離れるという考えは、悪くないぞ」ベドウィアがいった。「民衆を煽りたてて我々を打ちたおそうとしているあの悪党どもを、だれかが監視していなければならぬ。とすれば、そなたたちこそうってつけだ。オークニー一族がなんらかの理由でガウェインの不祥事の巻きぞえになったと思わせておく――あるいは、憤慨して宮廷を離れたと思わせておく。そうすれば、連中はもっとあからさまな行動に出るかもしれぬ。我々の考えているようなことをもくろんでいるとしたら、連中が一族のだれかに接近してくることもありうる！」

「我々を引きこむことなどできるわけがない。そうではありませんか？」アグラヴェインだ。

「連中は、そなたたちが国王に恨みを抱いているものと考え、そこにつけこもうとするのだ」

「そこだ。だからこそ、グリムは、ガウェインに一年もの猶予をすすんで与えたのだ」王が指摘した。「そのあいだに、人々の不満をさらにかきたてることができる。それぞれの不満の種がちがっていてもかまわないのだ。理由がなんであれ、不満の矛先をわたしに向けられればな！」

ガウェインは、すべての駒を几帳面にきちんと箱におさめた。

「それでは、我々はみな明日、それぞれに旅立ち、一年後の今日、また集うということですね。どこで？」

「カーライルだ」王はこたえると、ふいに友人たちに背を向け、大広間を見わたす小窓へと足早に向かった。「マーリンがここにいてくれたら」

「陛下、ご注意ください。そのお言葉、司教の耳に入りませぬよう」ガヘリスがいった。

王は窓敷居をいらいらと指先でたたきながら、大広間をじっと見おろしていた。ふいに、ガウェインは、戦いと数々の耐えがたい決定を繰り返した二十年間の歳月を叔父の顔に見て、激しい思いに駆られた――あのとき、グリムがあの寝室でわたしを殺してくれていたら、どんなによかったろうか。グリムは、わたしに一年の猶予を与え、わたしばかりか国王までも破滅に追いこもうとしている。いっそ、あのときに命を奪われていたほうがよかった。

ガウェインには、大広間を見つめる王の心の内がわかった――一年ののちカーライルに集うとき、はたしてこの体制はまだ保たれているだろうか？

「ボールドウィン司教とマーリンは、品位をわきまえ、理性的に意見をたたかわせてくれるものと思っていたのだが。わたしには、あのふたりのどちらも必要だった」王がいった。

「予想を上まわるものでしたな。好戦的な司教と平和主義の異教徒、そうでしょう？　雄牛とラバをくびきでつなぐほうがまだましですよ。いつかはどちらかを選ばなければならなくなるだろうと、はじめからはっきりとわかっていた」ベドウィアがいった。

「少なくとも、マーリンはそうせずにすむようにしてくれたわけだ」王は暖炉のそばへもどると、椅子に腰をおろした。「だが、ニニアンとともに去っていくとき、マーリンは、もう自分がいる必要はないといったのだ。必要ないだと？　とんでもない！　六か月のあいだに二度も命をねらわれ、今度はこれだ！」

「二度目の暗殺計画については、ニニアンをよこして、知らせてくれたではありませんか」ケイがいった。

ガウェインはきっとして、ケイを見た。

「ニニアンがもどってきたのだとすれば、マーリンはどこにいるのだ？」

「彼女はもどってきたわけではない。姿を現し、伝えるべきことを伝えると、また姿を消してしまった。マーリンが自分をよこしたのだとはいったが、マーリンの居所はいわなかった」王がいった。

「マーリンは、今回もなにかしてくれるかもしれませんよ」ギャレスがいった。

「かもしれん」王の口調には、ギャレスのような楽観的な響きはなかった。

モーガン・ル・フェイの名を口にする者はいなかったが、部屋のなかのだれもが、その存在の重みをひしひしと感じていた。モーガンとグリムの関わりについて話しておかなくては、とガウェインは思った。しかし、モーガンの企てた暗殺計画のことを王が口にしたとたんイウェインの表情が凍りついたのを見て、ガウェインは思いとどまった。たとえグリムとモーガンのことを話したとしても、役には立たなかったろう。グリムが謎を出したとき、王妃にはすぐにその答えがわかったようだが、なぜ王妃が答えを知っていたのかは、だれにもわからなかったのだから。

その翌朝早く、ガウェインは馬にまたがり、城を離れた。弟たちとイウェインは胸いっぱいに希望を抱いて、出発していった。ショックは徐々に薄れつつあった。たった一日しかたっていないのだ。一年という期間は長く思われた。

ガウェイン自身はそれほど自信があるわけではなかった。ディー川に沿って馬を進めながら、そぼふる冷たい雨のなかで頭を垂れていた。川のそばの起伏のない草原にしつらえられた馬上試合の競技場はぬかるみになり、観覧席やそのままになっていた華やかな天幕が風雨にさらされて汚れている。騎士の名声もこのようなものではないか、ガウェインは皮肉な思いに駆られた。橋に近づいたとき、馬にまたがった四人の人間が現れた。

一瞬ガウェインの胸に不安がよぎった。グリム、あるいはだれであれグリムを支持する者が、一年も待つことはないと思いなおして、わたしを片づけにきたのかもしれぬ。が、そのとき、そこにいるのが王とベドウィアとケイであることに気づいた。そして、もうひとり、真ん中にいるのは、王妃だった。

四人は、ガウェインを囲むようにして橋までいっしょに進み、橋のたもとでガウェインの肩を抱き、成功を祈った。ガウェインは橋を渡ると、ウェールズへ向けて馬を進めた。傍らには愛犬が従っていた。

北ウェールズ領主の未亡人エレインが修道院長を務めている小さな教団は、山あいの森のなかにあった。修道女たちが寝起きする藁ぶきの粗末な家々は、礼拝堂、食堂、施療所、厨房（ちゅうぼう）——これらは、修道女たちの家より大きいというだけで、特別な造りをしているわけではない——のまわりを囲むようにして建てられている。居住地の三方は、土手とイバラの生け垣に囲まれていた。生け垣の先には小さな畑がいくつかあって、修道院の食物をまかなっている。残る一方には、川がせきとめられてできた大きな池がある。ガウェインが妹のフローレイを見つけたのは、この池のほとりだった。冬空の下、池の面はなめらかで、灰色がかっている。フローレイは、枯れて色あせたアシの茂みの傍らに立って、騒がしいカモたちの動きに見とれているようだった。はじめ、ガウェインにはそこに立っているのが妹だということがわからなかった。というのも、フローレイが、灰色の尼僧服に白いヴェールという見習いの修道女の姿をしていたからだ。フローレイが振り返って会釈したときにも、ガウェインはまだ、声をかけたものかどうか迷っていた。ゲラートがフローレイに駆けより、その両手に鼻を押しつけた。

「今までどこにいってらしたの？」フローレイがたずねた。フローレイが押しやると、犬はカモに向かって吠えながら、池のまわりを駆けめぐった。「チェスターをたってから、もうひと月になるわ」

ガウェインは、どうしてそのようなことを知っているのかなどとたずねはしなかった。エマウス修道院に自分の動静が伝わっていたところで、不思議はない。が、たずねなかったのはそのためばかりではない。フローレイにはさまざまなことを知る能力が備わっていたからだ。そして、そのせいで、ガウェインはいつも、なんとも落ち着かない気分になるのだった。ガウェインは肩をすくめた。

「あちこちさ。まっすぐここへくるとでも思っていたのかい？」

食ってかかるような口調になった。フローレイはかすかにほほえんで、かぶりを振った。ガウェインはフローレイの灰色の袖に触れると、いった。「ほんとうに修道女になるつもりなのか？」

フローレイは尼僧服を見おろした。そういわれて、気がついたとでもいうようなようすだ。「なるかもしれないわ。でも、まだ決めたわけじゃないの。ここにきたときに、ふさわしい服をもっていなかったのよ。それで、ほかの人たちと同じような格好をするのがいちばん簡単に思えたから、これを着ているの」

妹が以前はとびきり華やかな色合いの服を好んでいたことを思い出して、白い尼僧服をまとった修道女たちのなかでどのように感じたか、ガウェインには理解できた。わざわざ人目をひくようなまねはしない――これはガウェインが本能的に身につけた生き方であり、これまで、フローレイが同じ考えをもっているなどとは思ったことがなかった。ガウェインはまじまじと妹を見た。昔は妹のことを、小さな目鼻立ちの丸顔につんとした表情を浮かべた、薄茶色の髪の地味な子だと思っていた。ところが、今こうしてみると、そんなふうに思ったのは妹がいつも不機嫌な顔をしていたせいではなかったかと思われるのだった。フローレイの顔は以前より面長でおとなびて見えた。以前のように気難しいしかめ面もしていないし、口をきつく結んでもいない。

「なかなか似あうじゃないか」ガウェインはいった。

フローレイはまた、ほんの一瞬笑みを浮かべた。「わたしも、そう思いはじめてるところよ」

その笑顔はぎこちなかったが、無理につくっているというより、ほほえむことに不慣れに見えた。そういえば、フローレイはよく、だれかをだしにしては声をあげて笑っていたが、ほほえむということはめったになかった。フローレイの性格になにかしら変化が起こりはじめているようだった。とはいうものの、フローレイは、どこか警戒しているようなようすで、ガウェインが先に口をきるまで待っているようなところがあった。

「おまえが自分からすすんでここへきたとは、驚いたよ」ガウェインがいった。

フローレイはそれにこたえず、カモを見ていた。カモたちは池の真ん中にもどって、のんびりしている。ここなら犬も追いかけてはこられない。どうして修道院にきたのかと暗にたずねたのだが、どうやらフローレイは無視するつもりらしい――ところが、そう思ったとき、フローレイが横目でガウェインを見た。

「自分からすすんできたわけじゃないわ。エレイン叔母様がきて、一週間もお母様にこんこんと話してきかせたのよ。わたしが適切な教育を受けていないとか、わたしにはどういう教育を受けさせるべきかとかいうようなことをね。そして、とうとう最後にお母様が金切り声をあげて叫んだの。『それほどいうなら、この子を勝手に連れていけばいいでしょ!』と。それで、ここへくることになったというわけ」

フローレイはまたカモのほうへ目を向けて、じっと見つめた。

「エレイン叔母がいっていたが、落ち着くまでに少し時間がかかったそうじゃないか。それなのに……」

フローレイの顔にゆっくりと笑みが広がった。「迷惑をかけてやったら、あの人たちはわたしを送りかえすんじゃないかと思ったの。それで、ネズミを大量にふやして、悩ませてやったわ——ところが、みんなはネズミをかわいがったのよ。それで、次に、牛乳を酸っぱくしてやったんだけど、みんなは『こんなに賢い子をよこしてくださって、ありがとうございます』と神様に感謝して、その牛乳でチーズを作ってしまったわ。最後に、わたしは黒い犬に姿を変えたの——ところが、エレイン叔母さまは『犬にはたっぷりと運動をさせてやらないとね』というの。それで、みんなは毎日わたしに十キロも、十五キロも、散歩をさせたわ。それからあとは、ここの暮らしを受けいれて、できるだけ楽しむほうが楽なような気がして」

「かなりうまくやっているように見えるよ」

フローレイはガウェインを見あげた。

「ええ、そうよ。エレイン叔母様は薬のことや白魔術を教えてくださるの。お母様が教えてくださるようなことよりずっとおもしろいわ」

ガウェインは驚いた。「ああいうのが好きなのかと思っていたが」

フローレイは軽蔑したように顔をしかめた。「くだらないことばかりよ。わたしはなにか人の役に立つようなことがしたいの」

「そうはいっても、ここではあまりそれを役立てる機会もなかろう」

「あら、そうお？　それでは、どこならもっと機会があるというの？」フローレイは冷ややかにたずねた。「ここは、お兄様が思ってらっしゃるより旅人が通るのよ。海に通じる道が谷の上の峠道とぶつかっているから、いつも、なにかしら手当てを必要としている人たちがいるわ。ここにいれば、いつかは修道院の施療所の看護人になれるし、そうなれば、このあたり一帯の人々の治療に携わることになるでしょ。ほかのところでこんなことができると思う？　医者や薬草師としてわたしをつかってくださるような方が宮廷にいらっしゃるとでも思うの？」

ガウェインは考えこみながら、手の古傷をさすった。フローレイが人の役に立つ仕事をしたがっているとは思ってもみなかった。が、その気持ちはわからないでもない。フローレイは、ガヘリスとギャレスの間に生まれた妹で、めそめそ泣きながら兄たちのあとを追うくせに、弟たちのことはいじめた。ガウェインはそんな妹を厄介な子だと思っていた。しかし、今にして思えば、フローレイはエネルギーがありあまっていたのに、それを発散させる機会がなかったのだろう。

「手の傷はまだ痛むの？　ちょっと見せて」

フローレイは両手でガウェインの手をとると、骨や腱を探り、手を開かせたり閉じさせたりした。それから、指を一本ずつ曲げていき、ガウェインの顔つきを見た。痛みに思わず手を引っこめたガウェインは、しまったというように笑った。

「ときおり少し痛むだけさ」ガウェインはいいわけがましくいった。

「硬くなりかけているじゃないの」フローレイがきつい口調でいった。「油をあげるから、それを塗るといいわ。それから、手の運動もしなくてはだめよ。やってみせてあげるから」フローレイは、自分の両手のひらを見つめた。「手術の仕方も教わることができたらいいんだけれど。複雑な骨折でなければ、骨を固定することはできるようになったのよ。でも、お兄様の手のような傷は治せないわ」

「そういうことを覚えたいのなら、マーリンのところへいかなくてはな。マーリンを見つけることができるなら、ということだが」

フローレイはきっぱりと首を振った。「だれにも見つけることなんてできないし、マーリンはもう、もどってこないわ」フローレイは奇妙な笑い声をあげた。「でも、お兄様のいうとおりだわ。わたしはマーリンのところへ習いにいくべきだったのよ。裏切り者のマーリンのところへ」

魔術師のマーリンがアーサー王を見捨ててどこかへいってしまったことをいっているのだろう、とガウェインは思った。

「どうして、もどってこないとわかるんだい？　とても自信があるような口ぶりじゃないか」

「ええ、もちろんよ」フローレイはそれだけいうと、兄のたずねたことにはこたえずに口をつぐんだ。一瞬、沈黙がながれた。会話をとぎれさせれば、マーリンのことから話題をそらすことができるとでもいうようだ。

「わたし、スペインへいくかもしれないわ」フローレイが再び口を開いた。「スペインには、熟練したムーア人のお医者さんたちがいるんですって。ここに滞在しているおばあさんがあちこちの聖地をまわっていてね、スペインのお医者さんのことを話してくれたのよ」

ガウェインは、黒い服に白ずきんの老婆を見かけたことを思い出した。

「礼拝堂の外にすわって、エレイン叔母と話しているのを見かけたように思うが」ガウェインは笑った。「とても立派なご婦人のようだったが、横を通ったときにわたしに向かってウィンクをした。嘘じゃない」

不慣れな、ぎこちない笑みがフローレイの顔に浮かんで、消えた。

「ちっとも立派な人なんかじゃないわ。信心深いのでしょうけど、そのせいで、良かれと思って嘘をつくのよ。あちこちの聖地で奇跡を見たといって、途方もない話をいろいろとエレイン叔母様にきかせているけれど、あれはみんな嘘にちがいないわ」フローレイは水面を見つめたまま、口をつぐんでしまった。

「なにか仕事をしているところだったのじゃないかい？」しばらくして、ガウェインが口をきった。「忙しいところを邪魔したくはないのでね」

「もう終わったわ」

「こんな季節に畑仕事があるとは思わなかったよ」ガウェインは言葉をつづけた。フローレイが黙っていると、落ち着かないのだ。

「いつだって、やることはあるわ。株分けをしていたのよ」フローレイは足元にあったかごを手にとった。なかには移植ごてがひとつと、しなびたイモがいくつか入っていた。

ガウェインは、妹の仕事に関心をもたなくてはと思い、自信なげにいった。

「すっかりしなびて、だめになっているみたいだが」

「実際は、とても元気なのよ。なんでも見かけどおりとはかぎらないわ」フローレイは池のむこう側の山を見た。山の中腹の木々は落葉している。「一年中、どんな時期にも花が咲いてるって、知っていた？

十二月いっぱい咲いていたバラがあったし、そのあと、キンポウゲの仲間のイエニレが咲きはじめたわ。今は、マツユキソウとクロッカス。それが終われば、また順々に花が咲いていく――けっして花がとぎれることはないわ。冬枯れて、なにもかも死んでしまったように見えても、この大地には常になにかしら生きているのよ」

「人は死ぬ」ガウェインがいった。「フローレイ、例の謎についてなにか知らないかい?」

「いいえ」フローレイは目をそらしたままいった。会ったときから、このことをたずねられるにちがいないと思っていたようだった。

「どうやら、モーガン叔母が一枚かんでいるらしい。おまえはいつも、モーガン叔母や母上とは親密な間柄だったから……」

「あの人たちは嫌いよ」フローレイがぴしゃりといった。「あの人たちのなにもかも、吐き気がするほど嫌だわ。修道女になろうと思うのも、ひとつにはそれがあるからよ」フローレイは以前のように、満足気な意地の悪い笑い声をあげた。「あの人たちはわたしが修道女になるなんて信じていないけれど、いまにみてらっしゃい! そのときになったら、悲嘆にくれるでしょうよ! わたしが一族の女系の最後のひとりだってことは、知っているでしょう? わたしを失ったら、あの人たちはすべてを失うことになるのよ。手元に残っているのがモードレッドだけになったら、あの人たちはエレイン叔母様やお兄様たち男の子をあっさり手放してしまったことを悔やむでしょうね。それもじきよ。それにしても、あの人たちはモードレッドをとんでもない人間にしてしまったわ!」

「いったい、なんのことだ？」ガウェインが鋭い口調でたずねた。

しかし、フローレイの興奮は冷め、再び警戒するようなようすになった。さきほどの感情の高まりの激しさにも驚いたが、ガウェインは、それを完全に抑えたフローレイの自制心の強さにも仰天した。

「なんでもないわ」

フローレイが首を横に振ったら、頑として考えを変えないことはわかっていた。

「なにかわたしの役に立ちそうなことを思いつかないかい？」ガウェインは再度たずねた。

フローレイはためらっていた。フローレイはなにかを決めかねているようだ、どうしたものかと考えているのだ――ガウェインは思った。

「あの人たちのことが嫌いなら……」ガウェインがまた口を開きかけた。

「嫌い――とか好き――とかいうことは問題じゃないの。言葉よ、お兄様を縛っているのは。わかっているでしょう。だからこそ、ここへきて、謎のことをたずねているんでしょ」そういうと、フローレイは、反応をうかがうようにガウェインのほうを向いたが、しっかり目を合わせようとはしなかった。「あの人たちは、まだお兄様を利用できると思っているわ。ほかのだれよりもお兄様に利用価値があると思っている。それに、嫉妬もしているわ――あの人たちがどれほど深く嫉妬しているか、信じられないでしょうね。とにかく、例の男の子の件が気にいらないのよ。でも、彼女は、あの人たちがその子に絶対に手を出せないようにしたから――」

「なんのことをいっているのだ？」ガウェインはフローレイの腕をつかんだ。「彼女とか、男の子とか？」

「あら、お兄様の息子のことよ。知らなかったの？　こんなことをお話ししてはいけなかったんだわ」

が、フローレイの落ち着いた緑色の瞳を見て、ガウェインにはわかった――すべて考えがあって語ったのだ、うっかり口をすべらせたのではない。フローレイは、手の古傷を調べたときのように、ガウェインの反応をじっと見ていた。おそらく、さきほどと同じように、ガウェインがびくりとするのを見てとったのだろう。フローレイは、見ひらいていた目を細めると、顔をそむけた。その顔には満足の色が浮かんでいた。わからせたいと思ったことをガウェインが理解したので満足しているのだ。ガウェインはフローレイの腕を放した。もしどこかにわたしの子どもがいるとすれば、ひとりきり。その子は彼女が……。

フローレイはガウェインから離れ、池からも離れていった。

「モーガン叔母様のことは、きっとお兄様のいうとおりだと思うわ。この件に深く関わっているんじゃないかしら」さげすむようなきつい表情になり、辛らつな口調になっている。「ふつうの女の人がなにをほしがるかはわからないけれど、コーンウォールの女たちがなにをほしがっているかは知っているわ。権力よ――すべてのものを支配する力。あの連中は太陽の光にさえ恨みを抱くわ。なぜなら、あの連中の許しも得ずに輝くからよ！」

「エレイン叔母も……？」ガウェインが口を開きかけた。

と、ふいに、フローレイが誠実でくったくのない笑顔を見せた。

「叔母様はちがうわ。叔母様はもう、そうした野心を捨てたんですもの。だから、あの人たちのなかで、叔母様だけは幸せなのよ」

フローレイはからかうように小さくお辞儀をすると、修道院の建物のほうへ向かってゆっくりと歩いていった。背の高い、若い娘。穏やかで、ひどく冷静な娘。ガウェインは、フローレイのふるまい方にはなにかしらギャレスを思いおこさせるものがあると気づいた。

「お堀をまわって、川へいきましょう」ウルフィン伯爵の娘はいった。

青い空に白い雲が浮かび、さわやかな日射しがふりそそぐ、春らしい、すがすがしい三月のある日のことだった。ウルフィン伯爵の砂岩でできた大きな城は、丘の頂を少し下ったところに立っていて、頂に面する側を堀に、反対側を急斜面に守られている。この季節は、堀の湿った底にスイセンが隙間もないほどに生い茂り、堀本来の重要な目的をあざわらっているかのようだ。

城門を離れてまもなく、村へ通じる道から小道が分かれて、城の裏側の尾根へとつづいている。尾根では、羊の群れが草をはんでいた。ガウェインと連れが近づいていくと、生まれてまもない子羊たちはふたりをじっと見つめていたが、やがて驚きと警戒の鳴き声をあげながら母羊たちところへ駆けていった。ガウェインは犬のゲラートを呼びよせると、首輪をつかんで歩いた。ゲラートは、主人が自分を信用していないので目をむいたものの、忠実な態度は変わらない。白地に黒の斑の牧羊犬がやってきて、自分が任せされている羊の群れと侵入者の間に割って入った。吠えたてることはしないが、ふたりが堀の角で小道を曲がるまでうさんくさそうに見つめていた。ふたりは川のほうへ向かった。

丘のふもとに農家があった。家を取りかこむ果樹園の木々の間を小柄な人影が動きまわって、枝を刈りこみ、木々の手入れをしている。川のむこう岸では、鮮やかな青色の上着を着た男が茶色と白の二頭の牛を使って畑を耕し、男のうしろではまだらの鳥が群れになって旋回している。鳥の声は、男が牛たちを動かす掛け声とまじり、こちら側の丘の中腹でながめているふたりのところまで、かすかにきこえてくる。

城から少し下ったところで、伯爵の娘が立ちどまった。

「国王のお城をたったあと、どこにいたの？　あなたがどこに隠れているのか、だれも知らなかったのよ」

「隠れていたわけじゃない。先月は、叔母の修道院にいたのだ。パーシヴァルの母上のところだよ。妹もいるし」ガウェインがこたえた。

「フローレイが？」娘は驚いたようにいった。「修道院に入るようなタイプだとは思ってもみなかったわ」

「わたしもだ。しかし、あの子がいうには、どこにいるよりもあそこで暮らすほうがおもしろいのだそうだ」

「たぶん、そのとおりなんでしょうね」伯爵の娘は、憂鬱そうにいった。「この世で、淑女でいることほど無意味で退屈なことはないわ」娘は、なにか考えこむように黙りこくったまま丘をおりていたが、しばらくして、また話しはじめた。「それでも、自分が修道女になるなんて、考えられないわ」娘はガウェインを見あげた。「それに、あなたがひと月も修道院でぐずぐずしていたなんて想像できない。妹さんをそれほどかわいがっていたとは思わなかったわ」

ガウェインは肩をすくめた。「わたしが探し求めているのは、〈すべての女が望んでいるもの〉だ。だから、この旅を始めるにあたって、まず女性だけの社会にいってみるというのはなかなかいい考えだと思ったのさ」

娘は、わからないというように顔をしかめた。「本気で、その答えを見つけようとしてるの?」

「ああ、そうさ。まだ死にたくはないのでね!」初恋の相手はわたしの苦境をたいして深刻に受けとめていないようだ――ガウェインは思った。

「でも、だれもがばかばかしいと思っているのよ」娘はいいはった。「年が明けるまえに、国王陛下が解決してくださるにきまってるわ、そうでしょ?」

「ああ、おそらくばかばかしいことだろうさ」ガウェインは険しい表情でいった。「だが、このばかげた事態を切りぬけて生きのびる方法は、ふたつしかない。あの娘が訴えを取りさげるか、わたしが謎の答えを見つけて、それをあの父親に告げるかだ。国王がそのほかのいかなる方法で〈解決〉しようとしても、ひいきをしたといって、大いに不満の声をあげる者たちが出てくるだろうし、そのために反乱が起こることになるだろう――そして、グリムにとっては、国王に対する反乱を起こさせることこそ、今回の企てのねらいらしい」

「なんてひどい!」娘が声をあげた。「それじゃあ、あの男はあなたをいいように利用しているということじゃないの!」

「ああ、そのようだな」

娘は、事態を深刻に受けとめていなかったことを申し訳なく思っているようすで、心配そうにきいた。

「答えは見つかると思う?」

「実をいうと、もうひとつの可能性のほうに期待をかけている。が、いずれにせよ、一年のあいだ、宮廷から離れていなければならないのなら、答えを探すのもよかろうと思ったのさ」

「叔母様のところの修道女たちは、なにか役に立つようなことを教えてくれた?」

「どのようなことを役に立つというのかによるよ」ガウェインは愁いを帯びたほほえみを見せた。「あの人たちの考えは、要するにこういうことだ。すべての女性がほんとうに望んでいるものとは――たとえ本人がそのことに気づいていないとしても――救い主と霊的な結合をして一体になること、そして、深い考えとよき行いをもって救い主にお仕えすることだというのだ」

「それで、フローレイはその考えに賛成したというわけ?」娘は、信じられないというようにガウェインを見つめた。

「さあね。もっとも、グリムがそのような考えにあまり感銘を受けないだろうことは、まずまちがいのないところだ」ガウェインは顔をしかめた。「実際、フローレイは直接答えになるようなことはなにもいってくれなかった。フローレイは母のことをひどく嫌うようになっていて、あの子のいうことはすべて母への嫌悪で彩られている……もっとも、いずれにせよ、あの子のいっていることはほとんど理解できなかったが」

「まあ！」娘は、困惑といらだちのまざった表情でガウェインを見た。「ろくろく得るものもないのに、長々とそんなところにいて！」

「わたしが訪問したころ、修道院の雑役夫が病気になったのだ。それで、その男が元気になるまで、修道院の力仕事を手伝っていたというわけだ」

「なんてことでしょう！　探求の旅へでかけてなにをしたかと思えば、まず女の世捨て人たちのところへいって、ひと月も働いたなんて。そんな騎士は、あなたが初めてにちがいないわ！」

ガウェインはほほえんだ。「おそらく。だが、いずれにせよ、これはふつうの探求の旅とはちがうのだ」

やがて、ふたりは川のほとりの牧草地に出た。小さな女の子がひとりと男の子がふたり、あわせて三人の薄汚れた子どもたちが、草をはむ牛の番をしている。三人は、城からやってきた淑女と騎士を見つめていたが、ヤナギの木のうしろにさっと隠れると、くすくす笑ったり、声をひそめて話したりしている。牛たちはこの男女には目もくれなかったが、赤毛の犬を取りかこむと、うっとうしくてうんざりするほど好奇心を見せて、しばらくついてきた。

「なにかわたしに教えてくれることはないかい？」ガウェインがたずねた。

「わたしが？　すべての女が求めているものなんて、わたしにわかるわけがないじゃないの。自分がなにを求めているのかも、よくわからないのに」娘は草を引きぬくと、長い茎の端をかんだ。「わたしにわかっているのは、本来わたしが求めるべきだとされているものはどれもほしくないということよ」娘は顔をしかめた。「わたしなら、謎の答えは〈楽しみ〉だと考えるけど——女だということは、心がうずくほど退屈なことよ！」

「ほんとうに？　いつも、とても楽しそうな生活だと思っていたが」

「楽しそうですって？」娘がひどく軽蔑したような声を出したので、ガウェインはたちまち消えいりそうになった。「だれかの持ち物になって一生をおくるのが楽しいですって？　贈り物の包みかなんかのように〈たしなみのよさ〉とか〈評判〉といったばかげた小さなリボンで結ばれて、家族から家族へ手渡されることが？」娘は深々と息を吸いこむと、その息を荒々しく吐きだした。「さっきのは、ちがうわ。ほんとうの答えを教えてあげる。すべての女が最も求めているものは〈自由〉よ。なぜなら、もったことがないものだから」

「なぜそのようなことで思い悩むのか、わからんな。きみはいずれ莫大(ばくだい)な財産を相続するのだ、いくらだって自由に好きなことができるではないか」

「なにもわかってないのね！　結婚したら、どうなると思う？　結婚した相手が、財産はすべて自分のものだというわ。そして、もし結婚しなければ？　いとこのリアンがどうなったか、見てごらんなさいよ」

「リアン？」

「ギャレスが恋いこがれている娘よ」

「あの娘の名前はライオネスだと思ったが」

「ええ、そうよ」娘がいらいらとこたえた。「ただ、本人はその名前が好きじゃないのよ――あの悲劇の青年トリスタンとなにか関わりがあるんじゃないかと思われるのが嫌なの。だって、トリスタンの父上はライオネスという国を治めていたでしょ——だからあの娘はリアンと呼ばれるほうが好きなの。それはともかく——」

「トリスタンと関わりがあるものとばかり思っていた」ガウェインがいった。

「ほらね！」娘が声をあげた。「いったとおりでしょ！　女だって独立したひとりの人間だということを、考えたこともないんでしょ。あなたときたら、いつだって女のことを男の添え物としか見られないんだから……」

「すまない」ガウェインはあわてていった。「そんなつもりではなかったのだ。話をつづけてくれないか」

「え？」攻撃の手をゆるめずまっしぐらに突きすすんでいるときに口をはさまれて、娘は一瞬、足場を失った。

「リアンに起こったようなことがきみにも起こるかもしれない、そのようなことを話していたのではないかい？」

「ああ、そうだったわ」娘はすぐに体勢を立てなおして、攻撃を再開した。「つまり、それがすべてなのよ。リアンがどうなったか見てごらんなさいな。彼女も相続人だったのよ。でも、お父上が亡くなったとたん、どこかのずる賢いいとこが、リアンより自分のほうが上手に相続財産を利用できるといいたてて、彼女の城にのりこんできたの——それで、リアンと妹は自分の城に閉じこめられていたのよ、ギャレスがそのいとこを追いはらうまでね。嫌がる女相続人と強引に結婚するというのは、土地をもたない騎士が財産を得る絶好の方法なのよ。あなた、そんなこともわからなかったの？」

ガウェインは、いたたまれない気がした。娘のいっているとおりだとわかっていたからだ。もちろん、国王に訴えでれば公正な裁きがおこなわれたが、醜聞をもみ消して我慢する女のほうが圧倒的に多かった。それにもかかわらず、ガウェインは意固地になって首を横に振った。

「そのようなことは、めったに起こらない」

「ガウェイン、あなたの困ったところはね、人がよすぎるということよ」娘が哀れむような口調でいった。「この世界にどれほどたくさんのやくざ者がいるか、あなたにはわかっていないんだわ。女たちはちゃんと守られていないのよ。その原因の半分は、あなたみたいな人たちにあるのよ——なぜなら、あなたのようないい人たちには、そういったひどいことがしょっちゅう起こっているなんて、信じられないからよ。もう半分の原因は、」娘は考え深げに言葉をつづけた。「やくざ者のなかには魅力的な人もいるということ。ガヘリスみたいな人がね」

「ガヘリスだって?」ガウェインは驚いた。「ガヘリスは、あちこちの女相続人を塔に閉じこめてまわるなどということはしない!」

「ええ、そうね。でも、もしガヘリスが財産をつくらなければならないとなったら、まちがいなく結婚してつくるわ。もっとも、彼は力ずくで結婚する必要はないでしょうけど——あの人なら、〈愛〉と引きかえにすべてのものを自分に譲り渡すよう犠牲者をいいくるめることができるもの」娘は〈愛〉という言葉に激しい軽蔑をこめていった。

ふたりは川べりを歩きつづけていたが、やがて、娘はガウェインから離れて、リュウキンカをつみはじめた。リュウキンカの黄色い花が、川べりの肥沃な牧草地のいたるところに咲いている。一方、ガウェインは、娘がガヘリスについていったことを思いかえしていた。これまで、弟の恋愛沙汰をどちらかというと大目に見てきた。ところが、伯爵の娘は、別の考えを示した。見方によっては、弟のふるまいは、婦人たちから財産を奪いとる追いはぎ貴族のすることと同じだというのだ。ガウェインはその言葉に驚いていた。村に近づくと、娘は川から離れ、ふたりはまた城に向かって丘をのぼっていった。

「ケイが結婚しているなんて、残念だわ」長い沈黙を破って、娘がいった。「ああいう方となら、結婚してもいいわ。とても率直な方ですもの、あのケイ卿は。あの方といっしょなら、いつだって自分がどういう状況にいるかわかるし」

「ああ、そうだな。ケイといっしょにいる者はたいてい、悪ふざけの標的にされている、それもかなり迷惑なやつの」ガウェインは怪しむような目つきで娘を見た。「まさか、本気ではあるまい。ガヘリスにしたらどうだ」

娘はきっぱりとかぶりを振った。「それはだめよ。あの人を夫にしたくはないわ。だって、あの人が不実なことをするんじゃないかといつも疑っていなくてはならないもの。それに、あの人だってわたしを恋人にしたいなんて思わないわ。だって、わたし、美人じゃないもの」

「きみはとてもすてきだよ」

「すてきと美人はちがうわ、そうでしょ？　見ればわかることじゃないの。ガヘリスがつきあうような女の人たちを思いうかべてごらんなさいな」

ガウェインはあらためて娘を見て、いうとおりだと認めざるをえなかった。背が高くて堂々としているわけでもなければ、小柄ですらりとしているわけでもなく、色白できゃしゃというわけでもなかった。がっしりした体つきで、ピンク色の頬をした、どちらかといえば背の低い娘だった。確かに、ガヘリスが好むタイプではなかった。

「ばかだな、ガヘリスは」ガウェインはいった。

娘はうなずくと、皮肉な表情を浮かべた。美人かどうかなど取るに足らぬことだというつもりでいったのだが、それは娘が美人でないと認めたことにほかならない。娘にとっては、そのことのほうが重大な問題のようだった。

「残念だな」ガウェインは急いで言葉をつづけた。「きみが一族に加わったら、すてきだろうに。唯一それを実現できるのが、ガヘリスなのだが。アグラヴェインはあまり女性が好きではないようだし、ギャレスは彼のライオネス——失礼、リアンに夢中だ。今のところ、わたしが見通しの明るい候補者でないことはまちがいないし……」ガウェインは、娘の気持ちをそらすために軽口をたたいた。相手を傷つけたかもしれないと思うと、いたたまれなかった。「パーシヴァルはどうだい？　あいつは今、年上の女性と大いに教育的な関係を結ぶことが必要なのだ。わたしとしては——」

「ひどい！」娘は声をあげると、もっていた花を投げだし、こぶしを振りあげながらガウェインにかかってきた。

ガウェインは笑いながら抗議の声をあげて、少し走った。が、わざと娘につかまると、こぶしで肩をなぐらせた。

「もしきみと結婚するようなことになったら、けっして自由になどさせない」ガウェインは娘の肩をつかむと、腕を伸ばして娘を自分から離した。「おりに入れる。食べ物は、長い棒の先に突きさして押しこむ。凶暴な、ちびの獣め！」

娘はにやりと笑った。「いいことを教えてあげましょうか。あなたが首をはねられることになったら、その直前に結婚してあげる。そうしたら、わたし、自由になれるもの。それに、あなたの一族の保護を受けられるから安全だわ。あなたも、この世で最後にもうひとつ善行をつめるというわけよ」

ガウェインは、自分ではたじろいだつもりはなかった。が、娘の顔から笑みが消えた。「あまりおもしろい話じゃなかったわね」

ガウェインは肩をすくめて、笑おうとした。

「どうということはないさ」

しかし、娘はガウェインからあとずさった。

「かわいそうなガウェイン！」娘は背を向けると、丘を駆けのぼっていった。

ガウェインは、城門から百メートルばかり下の道に出たところで追いつくと、娘の肩をつかまえて、そっと揺すった。

「ばかだな……」

娘はガウェインを見て笑った。けれど、その目には涙が光っていた。

「そのとおりだわ。ほんとうにばかよね！」

ふいに、かつて娘に抱いていた愛情、感謝の気持ち、不安を和らげてやりたいという思いなどが交錯して、ガウェインは胸をつかれた。なぐさめられたいという思いよりなぐさめてやりたいと思う気持ちのほうが強かった。ガウェインは娘の肩を抱いた。「まだわたしを葬りさらないでほしいな！」ガウェインがささやいた。

「ばか！　あなたは絶対に死なないわ。わたしにはわかってる、なにもかもうまくいくってね」が、その口調はいやに明るく、わざとらしかった。娘はガウェインを押しやった。「だれかくるわ」

道のむこうから、赤いスカートに黒いショールをまとった老婆が足をひきずりながらやってきた。


伯爵夫人は、朝の散歩をしているところだった。城壁の上を胸壁に沿って歩いていたが、城門の上の塔までできたところで立ちどまると、娘と国王の甥が城に向かって小道をのぼってくるのを見つめた。若いふたりが付き添いの婦人もつけずに歩きまわるのは、あまり好ましいことではない。が、結局のところ、ふたりは幼なじみなのだ——伯爵夫人は、年ごろの娘のいる婦人たちに、よくそう説明してきたのだった。それに、若い人々にそのくらいの自由があってもいいのではないだろうか。なにしろ、ここは田舎で、意地の悪い噂を広めたり、誤った憶測をしたりする者などいないのだから。

夫人はかすかに顔をしかめた。国王の甥は、探求の旅をとても真剣に——そう、必要以上に真剣に——つづけているようだ。確かに、あのような不愉快な状況で——夫人は、ガウェインが首をはねられる可能性ではなく、醜聞のことを考えていた——宮廷にとどまっていたくないと思うのは当然のことだろう。しかし、夫人には、どうしてガウェインが一年ものあいだ行商人のように国を巡り歩かなければならないのか、わからなかった。ガウェインには、訪ねていけば大喜びで迎えてくれる友人たちがいるはずなのに。一年のあいだ、そうした友人のところに滞在すればよいではないか。夫人はガウェインに何度かそういってみたのだが、その話題をもちだそうとすると、ガウェインはきまって月並みな礼儀正しいいいわけをするのだった——友人たちの親切につけこむようなまねはできません、友人たちに迷惑をかけたくないのです、などなど……。それでも、クリスマスまでには丸く収まるだろう。とすると、イースターあたりに結婚式ということになるかしら……?

伯爵夫人の抜け目のなさそうな、俗っぽい顔は、散歩をつづけるあいだ、深く考えこむような表情を浮かべていた。たとえ、あのグリムという男の話がほんとうだったとしても、それほど不都合はないだろう。少なくとも、あの青年にも自然な感情があるいうことのなによりの証拠だ。確かに、ガウェインの礼儀正しさには申し分がないし、だれが見ても平時、戦時のあらゆる技に熟達している。が、なぜかしら伯爵夫人は、ガウェインと話をしていて生身の人間と接しているという気がしなかった。ガウェインは非の打ちどころのない騎士であり、あらゆる行いの手本だ。しかし、ほんとうのガウェイン——貴公子然としたガウェインのなかにほんとうのガウェインがいるとすれば——は、鎧でおおわれて秘密の場所に隠されているのだ。もっとも、ガウェインは気どりがなく、あけっぴろげに見えるので、この秘密の場所のことを知る者はほとんどいない。

ガウェインに欠けているものは情熱なんだわ。夫人の口元がかすかにほころんだ。お父上とはあまり似ていないようね……。

ガウェイン卿は、次にどうするというはっきりした考えもないまま、ウルフィン伯爵の城をあとにした。今いちばん心にかかっていることは、残された命が十か月たらずかもしれないということだった。残された日々を悔いのないように過ごしたい。謎については、大勢の女性にたずねてまわることにしよう。そうすれば、大多数の女性が最も求めているものについて、いずれなにかしら考えがまとまるにちがいない。もちろん、それが必要としている答えそのものではないが。なにしろ、〈すべての女〉が求めているものを見つけなくてはならないのだから。

旅に出るまえ、ガウェインは、どこへいっても疑惑のまなざしで見られるものと覚悟していた。が、もてなしてくれた知人たちはたいてい、ウルフィン伯爵やその家族のような態度でガウェインに接した。今回の件はすべてばかげた誤解から生じたことであり、じきにそれもとけるものと思っているのだ。なにより厄介だったのは、〈すべての女が最も求めているものはなにか〉とたずねるたび、本気で答えを求めているということを、相手の女性になかなかわかってもらえないことだった。それで、ガウェインには、女性たちが真剣にこたえているのかどうかわからなかった。しかし、ほどなくして、ガウェインはいいかげんにこたえていてほしいと思うようになった。答えをきけばきくほど、憂鬱になってきたからだ。

もてなしてくれた魅力的なご婦人やその魅惑的な娘たちが、ウルフィン伯爵の娘のように劇的な答えをしたわけではなかった。結婚した女の財産権や、財産めあてで女相続人を強引に我がものにする男のことを無遠慮に口にするような女性は、ほかにはいなかった。が、ガウェインはじきに、伯爵の娘が嘆いていた〈ばかげた小さなリボン〉がたくさんあることに気づいた。

早春のこの時期、ガウェインは娘たちのお供をして、あちこちの東屋（あずまや）や庭園などにでかけた。二十人ばかりの娘のお供をしたろうか。娘たちのためにクッションや裁縫道具の入ったかごを運び、絹糸を巻き、娘たちが（とても愛らしく）縫い物に精を出すふりをしているときに本を読みきかせ、娘たちがうたいたがっているときにはリュートを奏で、飼い犬を救ってくれと頼まれれば危険が迫っているようには見えない犬を救い……そして、そのあいだずっと、娘たちのたえまないおしゃべりをきいている。それにしても、彼女たちはなんと些細（ささい）なことがらを延々と話しているのだろうか。しかし、同じ年ごろの青年たちが夢中になっていることが娘たちの話題より深遠な内容だとはいえないだろう、とガウェインは努めて公平に考えてみた。とはいえ、それを認めたうえでなお、思うのだった。娘たちのはしゃぎ方にはなにかしら、外の世界へ飛びだそうと張りあっているようなところがある。はしゃいでみせているのは、なんのためか？　娘たちの愛らしさのなかに、なにか真剣な目的が隠されているように感じられた。ほどなくして、ガウェインにはわかりはじめた。またも、あの夫探しという無情な道に迷いこんでしまったのだ。しかも、みんなが自分を獲物にしようとねらっている。

驚いたガウェインは、バラの花園から室内に退却した。室内には、娘たちの姉たちがいる。条件のよい結婚をすでに手中におさめた姉たちは、同性に対しても異性に対してももっとゆったりとかまえているかもしれない、そう思ったのだ。

はじめは、予想どおりだった。なにも知らなかった少女がやがて結婚し、成熟した分別のある女性に変わる。それも、ガウェインの思っていた以上に。そのことをつくづくありがたいと思いながら、あちらこちらの応接間で、教養もあり有能な若い既婚女性とのおしゃべりを楽しみ、くつろいだ。こういった女性たちはせっせと針を動かして、ハンカチや絹のさいふといった小さなものではなく、ベッドの脚を隠す飾り布やつづれ織りといった大きなものを作っていた。家庭をみごとに切り盛りし、夫の財産の管理について博識で良識ある話をする。音楽を奏でるのが上手で、詩を論じれば鑑賞力と洞察力がある。ガウェインは既婚女性に魅せられて、知らず知らずのうちに落とし穴の縁にきていた。危険でロマンティックな恋物語に知らずと足を踏みこみそうになったそのときになって、ガウェインはようやく気がついた。忍び笑いをする乙女たちからされたのと同じくらい熱心に、今また求愛されそうになっているのだ。しかも、もっと巧妙に。大きな刺繍枠と家の鍵の束をもって愛想よく話をし、社交上のたしなみがある、この既婚女性たちもまた妹たちと同様、しきりにほめそやされたがるのだった。いや、むしろ、妹たち以上に自分たちの魅力を確かめたいという気持ちが強かった――わたしたちだって、まだまだ魅惑的で魅力的よね、と。

さらに年上の婦人たちを訪ねたところで無駄だろう、ガウェインは幻滅を感じながら思った。というのも、そういった婦人たちが最も望んでいることは、自分の娘がよその娘より先によい結婚をすることだ、と知っていたからだ。では、老婦人たちはどうかといえば、彼女たちの切なる願いは、ほかの老婦人たちより長生きをして、最後の勝利を勝ちとることであろう。

〈女だって独立したひとりの人間だということを、考えたこともないんでしょ。あなたときたら、いつだって女のことを男の添え物としか見られないんだから〉

ガウェインは、伯爵の娘が怒って責めたてたときのことを思い出した。女性たち自身に独立した人間として生きていく意志があるなら、あの娘もあのように怒らなくてすむだろうに——ガウェインは少々苦々しく思った。女性たちと会話を交わすうちに形づくられた女性像は、あのイウェインの抱く女性像とさしてちがわないようだ。

ガウェインは時間を無駄に費やしていた。甘美な策略や虚(むな)しい戯れの恋のなかで、貴重な時間が失われていく。

ガウェインは、探求の旅を振り返って、視野が狭すぎたということに思いあたった。これまで、自分と同じ階級の女たちにたずねてまわっていたが、彼女たちは全女性のなかのほんのひとにぎりにすぎないのだ。そういう女たちの生活やそのなかから生まれる欲求は、ふつうの女たちの生活や欲求と比べると、ひどく浮世離(うきよばな)れしたものだった。新たな希望がわいてきた。これから先は、城や領主邸を避けることにしよう。町の市場や村の広場や門口で、娘やおかみさんやおばあさんにたずねることにしよう。女たちのほんとうの暮らしを知ることができるだろうし、そこからすべての女がほんとうに求めているものを発見できるだろう。

返ってくる答えは率直で変化に富んでいて、ガウェインを驚かせた。目の前にころがりでてくるさまざまな望みのなかに共通するものを見つけようとしたが、ひとりの女の答えはきまって次の女の答えと矛盾する。一方、なかにはガウェインがたずねると、驚いて口もきけない者もいた。自分たちの望みなどだれからも関心をもたれたことがないので、わざわざ考えたこともないというようだった。

　糸を紡ぎながら結婚式を夢見る乙女がいれば、必ずもう一方に、結婚などしなければよかったと思う女がいる。田舎の生活の単調さに飽き飽きして宮廷生活の刺激にあこがれる娘がいれば、必ずもう一方に、ほしいものは小さな住まいと素朴な生活だけだという身分の高い婦人がいる。裕福な商人の妻と話をしたとき、ガウェインは女の核心に近づいたかと思った。その女は何不自由ない暮らしをしているにもかかわらず、子どもがいないためになんの喜びも感じないといったのだ。ところが、その翌日、とある家に立ち寄ったガウェインは、貧しい女の嘆きを耳にした。その女は、十二人の子どもたちのお腹（なか）を満たそうとして、不安と疲労の日々を送っていた。子どもがいなかったらよかったのにとよく思う（神よ、この女を許したまえ）、と女は悪びれもせずに認めた。貧しい者にとっては、夫が病気だったり、天候が悪かったりするとき、子どもがいるということは他人が思うほどありがたいことではないのだ。

　グリムの謎は、女の心の奥深くに隠されたまましばしば忘れさられている大きな衣装箱を開く鍵だった。衣装箱をあけたとたんに飛びだしてくる、たくさんの希望や恐れや夢に、ガウェインは最初は驚き、それから愕然（がくぜん）とした。しかし、いっこうに探し求めている答えには近づかなかった。馬にまたがってブリテン国内を縦横に巡り、女に出会うたびに〈すべての女が最も求めているものはなにか〉とたずねたあげくわかったことは、だれもが自分にないもの、自分には手の届かないものをほしがっているということだけだった。

与えられた一年の三分の一が過ぎようとしている四月の最後の日、ガウェインは馬にまたがり、なだらかに起伏する丘陵地帯を進んでいた。日が暮れようとしていたが、農場もなければ村もない。雨も降らず暖かな晩だったので、ガウェインは野宿をした。夜が明けるころ、頭のすぐ上の茂みからクロウタドリのよく響く美しい歌声がきこえてきて、ガウェインは目を覚ました。

にぎやかに、豊かに響きわたる鳥たちの夜明けのコーラスのなかを進みながら、ガウェインは一年まえのことを思い出していた。一年まえの同じ日、ガウェインはほかの若者や乙女たちと王妃のお供をして森へでかけ、五月を迎える催しをしたのだ。今年はだれが緑の服の一団を率いているのだろうか。はたして彼らとともにうたいながら春の森のなかへ入っていくことが、再びあるだろうか。

物思いに沈んでいたガウェインの耳には、若者たちの歌声さえきこえるような気がした……そのとき、気がついた。思い出のなかの歌声ではない、実際にきこえているのだ。ガウェインは馬の歩みを止めると、耳をそばだてた。歌声がきこえる。娘たちの歌声。それから、甲高い笛の音。進んでいた尾根の片側に丘が見える。歌声はその頂の、木々に丸く囲まれた場所からきこえてきた。ガウェインは尾根道から脇へそれて、自分が出くわしたのはどのような五月祭の催しだろうかと目をこらした。近づいていくあいだも、笛の音と歌声はとぎれることなくつづいていた。まもなく、太鼓の音と小さいシンバルが打ち合わされる音もきこえてきた。
娘たちは白や金や若葉の緑を使った服をまとい、木々に丸く囲まれた草地で輪になって踊っていた。頭に花と葉で作った冠をのせ、自分たちの歌と熱狂的な笛の音にあわせて草の上を裸足(はだし)で踊る娘たち。ほどけた髪が輝く雲のように揺れ、肩のあたりで跳ねている。笛を吹いている人物は、輪の中央にしゃがんでいる。

『回る、回るよ、
男には目もくれない娘たちが、
夏のあいだずっと……』

娘たちのうちのひとりは飾り帯に小さな太鼓をふたつつけ、もうひとりの娘は片手にひとつずつ、指で打ち鳴らす小さなシンバルをもっている。
ガウェインは少しのあいだ、木陰で馬にまたがったまま、娘たちがぐるぐる回りながら夢中になって踊っているのを見つめていた。と、ひとりの娘がガウェインに気づいて声をあげた。あっというまに踊りの輪がほどけて、娘たちは笑い声をあげながら、むこう側の木立のなかへ流れるように駆けこんでいった。そのあとを、丈の長い赤いコート姿の背中の曲がった人物が、相変わらず熱狂的に笛を吹きながら、跳びはねるようにしてついていく。

ガウェインが円形の草地を横切りおえたときには、踊っていた娘たちや笛を吹いていた人物は、影も形もなかった。ほんとうにあったことだろうか。それとも夢を見ていたのだろうか。しかし、その午前中、丘陵地帯を越えていくあいだ、ガウェインは何度か、遠い笛の音、かすかなシンバルの音、せかせるような激しい太鼓の音をきいたような気がした。

その日の昼近く、別な尾根の頂に出た。そこからは道がふたつに分かれている。左の道はブナの森へ通じ、右の道は谷あいの小さな町へ通じている。

ガウェインは馬の歩みを止めると、長いあいだ小さな家々を見おろしていた。石造りの教会の塔のまわりに、藁ぶき屋根が集まっている。刈りとったばかりで金色に輝いているものもあれば、古くなって銀白色に見えるものもある。庭や果樹園の木々は花をつけている。堀に囲まれた領主の邸宅が離れたところに立っているのが目にとまった。権力を誇示するような離れ方ではなく、ほかの家々とほどよい距離を保っている。ガウェインは、青白い煙がほとんどよじれることなく青い空に立ちのぼっていくのをながめていた。女たちが昼食の用意をしているのだ。炊事をし、掃除をし、ニワトリにえさをやり、子どもの世話をし、靴下を繕ったりベッドの飾り布に刺繍をしたりする女たち……ふいに、そこに暮らす女たちのことが、屋根をはがして見ているかのようにはっきりとわかった。せっせと仕事をしながらも、女たちの頭のなかは夢——愛や富や名声を得たいという夢——でいっぱいで、心のなかは現在の自分とはちがうなにかにあこがれる気持ちでいっぱいだということもわかった。

ガウェインは長いあいだ動かなかった。ゲラートはふだん、主人が先を急ぎすぎると思っているようだったが、このときばかりは目に入る茂みや草むらに鼻をつっこんで歩き、それにも飽き飽きするほどたっぷりと時間があった。ゲラートは馬の横にすわると主人を見あげ、前足をじれったそうに踏みかえながら、訴えるように喉を鳴らした。

ガウェインは馬の向きを変えると、森へ入っていった。

わだちがあるところをみると、ふだん人々が使っている道なのだろうが、いったんまだ淡い色の若葉の下に入ると、人間のたてる物音は一切きこえなかった。虚ろな静けさを破るのは、上のほうで日の光を浴びながらうたうツグミの声とどこか森の奥でキツツキが木をつつく音だけだ。ゲラートが一度吠えたが、木々の間から短く、鈍いこだまが返ってきて、まごついているようだった。そのあと、ゲラートは声をたてずに進み、けっして主人から離れすぎないように注意していた。銀色に輝くなめらかな幹と幹の間に横たわる地面には下ばえがなく、落ち葉でおおわれていた。奥に進むにつれて、わだちでくぼんだ道も落ち葉でいっぱいになり、グウィンガレッドはくぐもった足音と尻尾を振るかすかな音をさせながら、静かに森のなかを進んでいった。

あちらこちらに木立の間がいくらか開けているところがあり、ブルーベルが咲きみだれていたり、草の斜面に星をちりばめたようにスミレが咲いていたりする。が、道は必ず、光と影が交錯する木陰へともどった。やがて、道は谷へおりていった。谷へ入ると、道幅が狭くなり、生い茂った草におおわれている。かつてはこのあたりの土地も切り開かれ、人が住んでいたことがあったのかもしれない、ガウェインは思った。というのも、そのあたりにブナは見あたらず、サクラやリンゴなどの果樹があったからだ。今は荒れ放題になっているが、果樹園のなごりではなかろうか。馬に乗ったままではこれ以上下ばえのなかを進めないと思ったとき、茂みがまばらになり、道は再びのぼりになった。

森の深い静けさのなかで、ガウェインは時間や距離や方向の感覚をすべて失っていた。現実感が薄れ、肉体を離れて魂だけになったような気がしていたので、少し先でガウェインに気づいたダマジカの群れがあわてることもなくゆっくりと道から離れていったときにも、シカがこちらに無関心だったことよりも、シカに自分の姿が見えたことのほうが驚きだった。ゲラートはもう前を駆けるのをやめ、グウィンガレッドの脇を、静かに、警戒しながら歩いている。近くになにかがいるとでもいうように。怖がっているというよりは、敬意を表しているというように見える。犬と馬と人間は、高い木々の間を夢見心地で抜けていった。

昼をかなり過ぎたころ、急斜面の上の平らな頂上に出た。密生した芝草の下に、いにしえに築かれた土塁の跡がいまだに見える。崩れてしまった塁壁の内側に、花をつけたサンザシが茂っている。日射しが強く、あたりは花の香りでむせかえるようだ。

ガウェインは馬からおりると、長いあいだ廃墟(はいきょ)になっていたとりでのなかへグウィンガレッドを引いていき、鞍をはずして、草をはませた。自分も昼食をとるつもりでいたのだが、まだ空腹でないことに気づいたガウェインは、犬をつれて土塁の外側のへりへいき、つるつるした草の上にすわった。

急な斜面が足元から谷までつづき、その先には丘が幾重にも重なっている。どこにも人が住んでいる

気配はない。緑の静かな土地は、青い地平線までなだらかに起伏している。なにひとつ動かない。丘の中腹にはウサギ一匹いない。空には鳥一羽飛んでいない。木の葉一枚、草の葉一枚、動かない。香り高い空気を揺らすそよ風さえない……そよ風さえない、それなのに——ガウェインはゆっくりと緑の茂みのほうを振り返った——、風もないのにサンザシの葉がかすかに音をたて、花がわずかに揺れるなか、声がきこえたような気がした。茂みはまた静まりかえった。

ガウェインは立ちあがると、片手を剣の柄にかけ、花の咲きみだれる茂みに向かって歩きだそうとした。ところが、夢のなかにいるように体が動かない。ガウェインはそのまま突ったっていた。やがて、葉ずれのような声がきこえてきて、ガウェインは自分の名前を耳にした。

「ガウェイン、ガウェイン、ガウェイン……」

その声は、森をわたるそよ風のように、きこえてきたかと思うまに遠のいて消えた。が、また、ふいに波のうねりのようにきこえてきた。

「……白い鷹……五月の鷹……」

まわりじゅうで声がしたようでもあり、声などしなかったようでもあった。と、今度は、近くからはっきりときこえた。実際にきこえたのか、きこえたような気がしただけなのか、ガウェインには一瞬わからなかった。

「嘆くことはない、ガウェイン。なにごとも起こるべくして起こるのだ」

いかにも楽しげな声だ。しかし、男の声なのか女の声なのか、わからない。

「わたしの名前を知っているとは、どなたです？」夢のような空気のなかに、ガウェインの言葉が重く響いた。

「ガウェイン卿、わしがわからぬか？」声はからかうようにいった。「〈去る者は日々にうとし〉というわけかの。かつてはわしを知っておったのだがな……」

そのとき、そよ風のような声の抑揚にききおぼえがあることに気づいた。

「マーリン様！　やっとわかりましたよ。こちらへいらして、お姿をお見せください！」ガウェインが叫んだ。

ところが、魔術師の声は相変わらずサンザシの茂みからきこえてくる。

「ガウェイン、今もこれから先もわしの顔を見ることはないだろう。そして、おまえはわしの声を耳にする最後の人間だ。こののち、だれにも語りかけることはない。それというのも、この先、だれもこの場所を見つけることがないからだ。おまえでさえ、再びここへくることはかなわぬ」

「なぜです？」ガウェインがたずねた。「どうしてお姿を現されないのです？　我々にはどうしてもあなたの助けが必要なのです。ことにわたしには」

「ガウェイン、姿を現すことができぬのだ」マーリンがこたえた。「わしを縛っている女は、好きなときに姿を現すことができるがな。その女だけがわしに会い、話をすることができる」

「おっしゃっていることがわかりません。どうしてなのか、わたしには……」

ガウェインは、びっしりと房になって咲きみだれるサンザシの花を透かして奥を見ようとしたが、目がくらんで焦点が定まらなくなり、自分が見ているものがなにかわからなくなった。目の前の白いものは、茂みでも花でもなく、複雑な形の穴がいくつもあいた象牙の塔のように見えた。さらに、緑の中庭が水晶の壁で囲われているように見える……しかし、空気がたわみ、踊っていて、なにもかもぼんやりとしか見えない。

「なぜ、そのようなことが?」ガウェインはいった。「最も賢い者を縛ることができるとは?」

茂みのなかのささやき声が、静かに笑った。

「わしは最も愚かな者でもあるのだ、ガウェイン。わしは自分の魔力よりほかのものを愛してしまった。わしはあの女が欲するものをすべて与えた。わしをあの女に縛りつける方法まで教えたのだ。そしてもう、だれもわしを解き放つことはできない」

「あの女は――ニニアンはなぜ、それほど残酷なことができるのです?」

「たとえ望んだところで、あの女にもわしを自由にはできぬのだ」魔術師がいった。「自分の犬や馬を見るがいい、放してみるがいい。かわいそうな奴隷たちよ! やつらが喜ぶと思うか?」葉ずれを思わせる声が、柔らかな口調でからかうようにいった。

「しかし、陛下にはなんと申し上げたらよいのでしょう?」

「その目で見、その耳できいたことを話すがいい。そして、おのおのに、おのおのがわかる分だけわからせればよいのだ」声が薄れはじめた。「……説明のつくことなどない……」

声が消え、空気の揺らぎがおさまってきた。そのとき、ガウェインはたずねるべきことがあるのを思い出した。

「マーリン様！」ガウェインは声をあげた。「わたしはどうなるのでしょう？　なんとこたえればよいのでしょうか？」

一瞬、答えは返ってこないように思われた。が、そのとき、またサンザシの花が幻の風に揺れ、かろうじてききとれるくらいの声がきこえてきた。消えていくというよりばらばらに散っていくような言葉を、ガウェインは拾った。

「ガウェイン、なにごとも起こるべくして起こる……嘆くことはない……与えるのだ……我々が真にもっているものは……我々が……与えることのできるものだけ……わしはあの女に与えた……すべて……女の欲するものを……」

マーリンの声は、笑いとともに消えていったのか、ため息とともに消えていったのか、ガウェインにはわからなかった。

それ以来、ガウェインは町や村を避けた。もっとも、たずねられれば、意図的にそうしたわけではなく、たまたまそうなっただけのことだとこたえたろう。日暮れになって気がつくと人里から遠く離れたところにいた、といったようすだ。そういうことが度々あり、一夜の宿を探しにいくより楽なので、その場で野営した。ガウェインは自分で進む方角を決めずに、たいてい馬と犬に任せていた。が、進む道はいつも、切り開かれて人々が住みついている土地から離れていった。

しかし、夏至の日、ガウェインは、いく筋もの小川が流れ、豊かな麦畑や美しい牧草地や堂々たる森のある土地にやってきた。風景は整然として絵のように美しく、自然の景観というよりは広大な庭園のようだった。一日中、その土地を通って進んだものの、手入れのいきとどいた畑で働く者、白い綿羊の群れの番をする羊飼い、毛並みのいい牛たちを追う者などをひとりとして見かけることがなかった。その晩、刈りとりを終えたばかりの牧草地の隅で干し草の山にもぐりこんで眠るとき、ガウェインは住人に見捨てられた謎の大邸宅にたったひとりでいるような心地がした。

翌日の昼ごろ、道からそれほど遠くない木立のなかに建物の屋根が見えたような気がした。ガウェインははじめ、立ち寄らずに通りすぎるつもりでいた。ところが、近づくにつれて、煮炊きをする煙も見えなければ人の住んでいる気配も感じられないことに気づいた。それまで人と出会うことを本能的に避けてきたガウェインだが、好奇心に負けて道からそれると、木立のなかを抜けた。立っていたのは家ではなく、白い大理石で造られた小さな円形の寺院だった。縦に溝を彫りこんだ柱が周囲を囲んでいる。建物のなかにはなにもなかった。寺院の前に泉があり、底の色とりどりの石の間から澄んだ水が湧きでている。泉の一箇所から水があふれて、ひと筋の小さな流れが道へ向かっていた。

泉の横に、ごつごつした大きな石があった。まるでナイフで切られたかのようにすっぱりと水平に切られ、黒っぽい表面が磨きこまれている。その光沢のある表面には、ところどころに金色のまじった緑のらせん状の模様が浮きでていて、石の中心から立ちのぼる煙のようだ。その石の上に、金色の鉢が金色の鎖でつなぎとめられていた。

そこには、なにかを待ち望んでいるような雰囲気があった。ガウェインは泉の傍らで馬にまたがったまま、なにかしなければならないことがあると感じていた。だが、なにをすべきかわからない。グウィンガレッドとゲラートは泉の水を飲んだ。ガウェインが馬からおりると、緊迫感が高まった。鉢を手にとってながめてみた。寺院と泉と石が意味していることを解く手掛かりになるかもしれない。が、鉢はなんの飾りもないごくふつうのものだった。

ばかばかしい、ガウェインは苦笑した。この鉢は水を飲むための器であって、それ以上なんの意味もないのだ。ガウェインはかがんで、鉢を泉に浸した。すると、木々が身を震わせ、息をのんだかのように感じられた。が、やはり、なにをすべきかわからなかった。それで、ガウェインは水を飲み、再び馬にまたがった。たとえここに探し求めるべき冒険があるとしても、それはわたしがおこなうものではないのだ、ガウェインにはわかっていた。

午後、豊かな、人のいない土地を進んでいくうちに、気温があがった。ちょうど平原を過ぎて、木々がまばらに生える荒れ地の丘を登りはじめたとき、不自然なほどふいに空が暗くなった。雨宿りする場所を見つけるまもなく、どしゃぶりの雨が襲ってきた。ガウェインは背の低い木立に逃げこむと、夕立が峠を越すのを待った。きた方向を振り返ってみて、驚いた。こちら側の降りもひどいものだったが、下のほうはもっとひどかった。風景は激しい雨のなかにすっかり消え、荒れくるう真っ黒な空にはたえまなく稲光が走っている。半時間たって、ガウェインが夕日を浴びながら再び先へと進みはじめたころ、下の広々と開けた土地ではまだどしゃぶりが激しくつづいていた。

馬を進めながら、下の土地のみごとな作物が受けたであろう被害を思い、ガウェインは心を痛めた。あの泉でなにをすべきだったのだろうか？　そのことと、あの気味の悪いどしゃぶりとはなにか関わりがあったのだろうか？

それからほどなくして、ガウェインの頭上を、鳥の大群が鳴きかわしながら平原へと飛んでいった……。

夏の盛りに、ガウェインは湿地にきた。地平線が低いので、世界の四分の三が空に見える。アシの生い茂る沼にはさまれた土手道を進んでいると、宙に浮いた細長い台地——宙に浮いて、地の果てまでのびる台地——の上にいるような気がした。ある朝早くのこと、遠くに、青い広がりがちらりと見えた。ついに、すべてのものが茫漠たる青になるという無の世界にきたのだろうか。ガウェインはさして驚きもしなかった。

沼地を抜けると、砂丘に出た。道は砂丘地帯を通って海岸に通じている。風を受けて絶えず動いている白い砂のひだが、ガウェインを取りかこんでいる。鳥の鳴き声、遠くでうねる波の音——音というより、静寂のうねりのように感じられたが——、雑草の茂みで砂がたてるかすかな音がきこえる。ガウェインは耳をすました。なにかがわたしに語りかけているのかもしれない。しかし、そよ吹く風の、いにしえからのささやきにすぎなかった。

砂丘を越えると浜辺が広がっていた。砂丘に近いところでは、砂はさらさらとして小麦粉のように白かった。潮が引いたあとの砂は硬くて平らで霜のように白いが、波打ち際の砂は黒く輝いていた。空は水色をしていて、どこまでが水色の空でどこからが水色の海なのか、かすんでいてよくわからない。ガウェインは波打ち際へと馬を進めた。赤毛の犬は吠えたて、水しぶきをあげながら、前を跳ねていく。水しぶきが日の光を受けて、虹色に輝いている。白と黒の体に赤い脚とくちばしのミヤコドリが二羽、ぬれた砂浜から飛びたち、鳴きかわしながらガウェインの頭上を飛んでいった。

グウィンガレッドが歩みを速めた。犬と同じように波打ち際を走りたいと思ったのだ。が、ガウェインは手綱を引いて、馬をおさえた。心に焼きついた、完璧なまでに青と白だけの世界をまだくずしたくなかったからだ。

浜辺の左手のほう、岸からそれほど遠くないところに、小さな舟が静かに波に揺られているのが見えた。ガウェインはそちらへと進んだ。犬はまだ、鳥に向かって吠え、波のしぶきに飛びかかりながら、前を走っている。海を隔てて真横まできてみると、赤と金色に塗られ、へさきに竜の頭が彫りこまれた帆かけ舟だとわかった。帆は赤と白の縞（しま）模様だ。マストの根元には緋色の絹の天幕が張られ、房のついた金色の張り綱で舟べりに結わえられてる。

ガウェインは海のなかへ少し進んで、止まった。ゲラートが舟に向かって泳ぎだしたが、舟にいきつくまえに引きかえしてきた。人の乗っている気配もなければ、錨（いかり）や舵（かじ）や櫂（かい）もない。ガウェインはしばらく舟を見ていたが、やがて背を向けた。自分のために用意されたものではないとわかっていたからだ。舟をあとにすると、ガウェインはグウィンガレッドの手綱をゆるめ、白い砂浜を駆けさせた。

海岸沿いに数キロ進むと、河口にでた。カモメやサギたちが干潟で、朝方の潮が残していった魚をあさっている。ガウェインは川に沿って上流へと馬を進め、小さな町にいきつくと、宿を見つけて朝食をとった。人々は親切で、あれこれせんさくするようなこともなく、にぎやかに会話を交わしながらガウェインにも話しかけてきたが、ガウェインは、ガラスの壁で人々から隔てられているような気がして、落ち着かなかった。何週間ものあいだ、自分の犬と馬以外には生き物に話しかけるということがほとんどなかったので、人々とどのような話をしたらよいのかわからなくなっていた。ガウェインは町を抜け、川に沿って旅をつづけた……。

青空の広がる暑い日、畑は金色に輝いていた。日に焼けた男たちは亜麻布の短いズボン下と麦わら帽子だけになり、女たちは袖を肩まで折りかえしてピンで留め、スカートを膝のあたりまでたくしあげ、小さな子どもたちは裸になっている。人々は総出で収穫の真っ最中だ。ガウェインが馬で通りすぎるとき、人々が見あげて手を振ることもあれば、娘が食べ物と飲み物をもってきてくれることもあり、また、だれもまるでガウェインに気づかないこともあった……。

ガウェインは昼夜をかまわなくなった。まわりが見えるだけの光があれば馬にまたがった。月の光であろうと日の光であろうと、同じことだった。疲れれば眠り、空腹になれば食べ物を探した。犬も馬も、自分たちの生活のリズムがほかの人々の時間からずれてしまったことを気にかけていないようだった。秋のはじめ、一行は丘陵地帯に入っていった。

ガウェインは、ふつうの人々の時間の感覚を失っただけでなく、夢と現実のちがいもあまり感じなくなっているようだった。月明かりのなかでいろいろと奇妙なものを見た。たとえば城――たまたま、そそり立つ岩と雲が奇妙に組み合わさってそう見えただけなのだろうが。小さな貴族や貴婦人の一行が笑い、うたいながらガウェインのすぐ前で道を横切っていく。もっとも、その笑い声も歌声もガウェインの耳にはきこえない。これも、小型のシカ――ノロジカだろうか――の群れにすぎないのかもしれない。

初霜が降りた満月の晩、ガウェインは木々の茂った尾根を進んでいた。月光を浴びて、黒々とした大きな木々の輪郭が銀色に縁どられている。月光と影が尾根道に縞模様を落としている。犬と馬がいきなり止まった。ガウェインが目をあげると、前方、道の真ん中に、一角獣が立っていた。月のように白い姿、泡だつ波のしぶきのようなたてがみ、宝石のような黒い瞳、霜のように白い角。静けさと完璧な美しさ。

あっというまに、それは姿を消し、ただ月の光があるばかりだった……。

丘の斜面の開けたところは、色あせたヒースにおおわれていた。木立のなかでは、木のまばらなところに葉の枯れたシダや絹のような綿毛をつけたヤナギランがびっしりと生えている。木々の下の地面は、舞い散った落ち葉に深く埋もれていた。雷に打たれた木々は、幹にサルオガセが巻きついて、毛むくじゃらの塔のようだ。森の奥深いところでは、枯れた木が倒れる場所もなくかしいだまま互いにもたれかかり、その上にツタのカーテンがだらしなくかかっている。枯れていない木々もすっかり葉を落とし、最後に残った二、三の黄色い葉を手放すまいとしている。もっとも、ナラの木は茶色くなった葉の大部分を残しているが、次に強風が吹けばその葉も落ち、冬枯れの完成というわけだ。

太古の森のもっとも奥深い中心部には、道が通っていない。だれもそのようなところまでいく必要がなかったし、いきたいとも思わなかったからだ。それで、ガウェインは、通りぬけられるところは通り、下ばえがびっしりと生えているところでは脇によけるといった具合に、成りゆきまかせに進んだ。考えていることといえば、常に上へ上へと進むこと、それだけだった。やがて、木々の間に広々と開けた場所が現れた。こんもりと盛りあがっている中央を除けばほとんど平らで、草が茂っている。その盛りあがった塚のようなところにナラの木が一本あり、その下になにかがすわっていた。

ガウェインは、その開けた草地の端で立ちどまった。中央の塚の周辺に、背を丸めてかがみこんでいる生き物が何頭か見えたような気がした。どんぐりを食べさせるために森のなかへ追ってきたブタの群れにちがいない。木の下にすわっているのはブタ飼いだろう。そのとき、動物が一頭立ちあがり、牧夫も立ちあがった。

立ちあがったのは、これまでに見たことがないほど気品のある雄のアカシカだった。シカはまっすぐにガウェインを見つめたかと思うと、頭をうしろにそらして、大きな鳴き声をあげた。牧夫はシカの横に並んだ。シカはとても大きかったが、男が脇に立つと犬くらいにしか見えなかった。男は、動物の毛皮で作った膝丈の服をまとい、ふさふさした毛皮の編み上げ長靴をはいている。黒い髪が背中にかかり、あごひげが胸の上に広がっているため、まるで着ている毛皮の毛が伸びているように見える。男が鉄輪のはまった大きな杖を片手に草地を横切ると、ほかの動物たちも男のまわりで立ちあがった。

ライオンやヒョウやオオカミがいた。茶色い雄ウシ。金色に輝くイノシシ。黒いクマはうしろ足で立ちあがった。人間より背が高く、前足に金の環をはめている。これらの動物にまじって、小さい動物たちも動きだした。キツネ、アナグマ、野ウサギ、リス、そして数えきれないほどの小さなシカ。動物たちは、主人がガウェインに近づいていくあいだ、じっとガウェインを見つめていた。ガウェインは馬の背にすわったまま身じろぎもせずに待っていた。

ガウェインから十歩ほど離れたところまでくると、牧夫は立ちどまった。男の鼻は幅広で平たく、鼻の穴は横長だ。丸く、黄色い目の瞳孔は縦に細長い。猫のような目鼻をした男は、長いあいだ黙って騎士をながめていたが、やがて軽く会釈をした。

「ガウェイン卿、先へいかれよ」男の声は、低いうなりをあげて木々の間を吹きぬける風のようだった。

「わしが待っているのはあなたではない」

風変わりな森の主は、草地のむこう側を指さした。そちらを見ると、北に向かって道がのびていた。

ガウェインは、嫌がる馬を前へ進ませた。犬はすぐ横で哀れっぽい声を出している。しかし、一行がゆっくり進むと、動物たちは道をあけて通し、表情のない暗い目でじっと見つめていた。

# Ⅳ

道は下へ向かい、ガウェインはいつのまにか原始林から出ていた。木々はまばらになり、ときおり、木が切り倒されたあとが目につくようになった。牧夫と動物たちのいた広く開けた場所から出るところではたどりにくかった道も、両側が土手のようになり、進みやすい道になっていた。もっとも、長い下り坂が終わると、両側の土手がなくなり、秋の夕闇が迫るなか、道はまたたどりにくくなった。太陽が西の地平線に沈みはじめるころ、木々の間にうっすらと霧がかかり、地面の近くでは霧の濃いところと薄いところがまだらになっていた。ガウェインはしばらくして、それまで村か町につづく本道だと思って進んでいたところがそうではなかったことに気づいた。森林地帯の自生の植物がたまたま整然と並んでいたために、そう思いこんでしまったのだ。これでまた、人間と出会わずにすむ、ガウェインはほっとした。

しかし、ちょうど日が暮れたとき、ガウェインはたまたま土地の低くなっているところに踏みこんで、そこが小さな庭だと気づいた。それまで、近くに人家があるとは思ってもいなかった。煙突の煙が目に入っていれば警戒もしただろうが、煙は屋根のすぐ上で霧にとけこんで見えなくなっていたのだ。建物がふたつあった。大きいほうの、傾斜のゆるい瓦ぶき屋根の建物が礼拝堂で、もう一方の藁ぶき屋根の建物が隠者のいおりだった。

ガウェインは馬をおりると、礼拝堂に向かった。礼拝堂はがらんとしていた。会衆席もなければクッションもない。祭壇の前の踏み段に、膝をつく薄いふとんが一枚おかれているだけだ。しかも、祭壇は四角い石に白い布をかけただけのものだった。祭壇の上には十字架像とロウソクが二本あり、そのロウソクがぼんやりとした光を投げている。礼拝に使うものはそれ以外になにもなかった。ガウェインは扉の横の聖水盤に指を浸し、十字を切ると、あとずさって礼拝堂を出た——それは、うやうやしいというよりは、礼儀正しい物腰だった。というのも、礼拝堂にはあまり宗教的な雰囲気はなく、どちらかというと人を物思いにふけらせるような雰囲気が漂っていたからだ。

礼拝堂のロウソクに火が灯され、藁ぶき屋根の煙突から煙があがっているところをみると、いおりに人がいるにちがいない。ガウェインはみすぼらしい住まいの扉をノックしたが、返事がないので大声で呼びかけた。

「どなたかいらっしゃいますか？」

人と関わることをずっと避けてきたというのに、今さら少しも迷うことなく人との関わりを求めるというのは奇妙なことだった。しかし、ガウェインはなぜかしら、今晩はここで過ごさなければならないという思いに駆られていた。森のなかで出会った男が示した道をたどってきただけで自分から行く先を定めたわけではなかったし、たどっていた道さえ見失ってしまったというのに、ここへたどりついたのだ。ガウェインは、もう一度ノックしようと手をあげた。

「わかった、わかった。そう騒ぎたてんでもよいわ。わしはここじゃ」憤慨したような声がうしろからきこえてきた。

振りむくと、いおりのあるじが立っていた。

予想にたがわず、白いあごひげをたくわえ、灰色の手織りの僧衣を着た、いかにも隠者といった風情の人物だった。しかし、その声と物腰にはこの印象と相いれないなにかがあった。聖職が必ずしも人づきあいのよさを必要としない職業だということは、ガウェインも知っていた。しかし、この隠者のいらいらした口調は、ひとり静かに神に仕えているところを邪魔されて怒っているというより、単に機嫌が悪いだけのように思われた。

隠者は隠者で、ガウェインをじろじろと見ていた。

「今宵（こよい）のねぐらを求めておるのか？」

「ご迷惑でなければ……」ガウェインがいいかけた。

「迷惑がかかるほどたいそうなもてなしなどせんわい。お望みならベッドはある。どうする？」

「ありがとうございます。それでは、お言葉に甘えて」

隠者は肩をすくめて、いった。「馬は裏へつれていってくれ」

隠者は先にたって建物の裏へ案内しながら、グウィンガレッドに目をやると、さきほど乗り手に向けた、探るような視線をすばやく走らせた。

「荷馬ではないな」隠者がいった。

「ええ」ガウェインがこたえた。

隠者はガウェインを見て、鼻先で笑った。「騎士か従者か、それとも馬泥棒か？」

「騎士です」

「まあ、そうであろうな。しかし、おまえさんの変装はなかなかのものじゃ。たいていの人間はおまえさんの姿を見て、どこから馬を盗んできたのかと思うじゃろう」

ガウェインは顔をしかめた。「変装……？」

「これはなんとしたこと！」隠者はおおげさに目をむいた。「鏡を探してやらずばなるまい！」

住まいの裏に木造の長い小屋があり、ガウェインはロバかヤギがいるものと思った。ところが驚いたことに、隠者が扉を押しあけると、小屋のあるじはいくさ用の大きな馬だった。年をとってはいるが、よく手入れされ、まだまだ乗りまわせそうだ。この小屋のあるじだと思っていたロバは、仲がよさそうに馬の横に立っていた。ヤギたちは、奥の囲いに入れられている。

「この端に馬をつなぐがいい」隠者がいった。「藁は屋根裏、井戸は裏庭じゃ。馬の世話が終わったら、まっすぐに住まいへくるがいい」

馬の世話をするガウェインをあとに残し、隠者は重い足音をたてながら出ていった。

住まいと礼拝堂の裏には草の茂った囲い地があった。周囲を芝生の生えた低い土手と荒れ放題の生け垣で囲まれている。リンゴの木々は、いきあたりばったりといったふうに、あちこちに生えている。井戸は庭の奥の隅にあり、そばに家畜用の水桶（みずおけ）があった。藁や動物たちの体温が発するにおい、落ち葉のにおい、霧のかかった薄明かりのなかに浮かぶリンゴの木々……のどかで満ち足りた一瞬……ガウェインは井戸の端にすわった。そのとき、霧が晴れ、木々の枝の間に星が見えてきた。ガウェインは、テーブルについて夕食を食べ、ベッドに入って眠りたいという思いに駆られた。そんなふうに思うのは久しぶりのことだった。

ガウェインが戸口までもどってくると、ひと部屋きりの住まいにはイグサの茎の髄を灯心にして作った黄色い灯心草ロウソクが灯され、隠者がテーブルに食物を並べているところだった。

このいおりを建てた者がだれであれ(現在の住人が建てたにしては古すぎた)、その人物は、見た目の豪華さより暮らしやすさに心を配ったようだ。このいおりには、鉄串や鉄製の三脚台を備えた暖炉に横づけされたかまどがあり、部屋の一方の端に隠者のベッドが、反対側の端に書き物机があった。机は修道院の図書室にあるような机で、礼拝堂の会衆席を高く、狭くしたような感じのものだった。テーブルは、部屋の真ん中に暖炉に向きあうようにしておかれ、長椅子と二脚の腰掛けがそばにある。そのほかには、暖炉をはさんでベッドの側に大きな衣装箱が、机の側に背の高い食器戸棚があった。

ガウェインが部屋に入ってゆくと、隠者は顔をあげて小さくうなずいた。「かけなさい」

ガウェインは肩掛けを長椅子の上におくと、腰をおろした。ゲラートが暖炉の前にいき、ため息をつきながらどさりと横になる。隠者は赤毛の犬を見るとそばへいき、火の脇においてあった鍋のなかをひしゃくで探って骨を引っぱりだした。その骨をゲラートにやり、なにかすばらしいものでも見るような顔つきで骨をくわえた犬をながめていたが、やがて短くふっと息を吐いて——ため息ではなさそうだ——、テーブルにもどってきた。

「さあ、どんどん食べて」隠者は勧めた。

「あなたは召しあがらないのですか?」あるじの夕食を横どりしているのではないかとガウェインは不安になった。「あなたの夕食を横どりするつもりは——」

「もう、とうにすませた。わしは、自分が我慢してまでおまえさんに食事をふるまったりせん。だから、ごちゃごちゃ心配せんでよいわ」

ガウェインはそれ以上なにもいわずに食事をはじめた。隠者はテーブルの端にすわると、犬をながめていたときのような目つきでガウェインをながめた。

質素な食事だった。が、ベーコンと黒パンとヤギの乳で作ったチーズとリンゴを食べおえるころ、自分がオート麦の固いパンとたき火で料理したウサギの肉にいかに飽き飽きしていたか、ガウェインにはわかった。荒れ野をさまよい歩いた何か月間かが夢のように記憶から薄れていった。できることなら暖炉の前で手足を伸ばし、ゲラートのように満足気な声をあげたかった。しかし、ガウェインは行儀よくナプキンで指をぬぐうと、どこへいっても同じようにしたであろう礼儀正しい態度であるじに食事の礼をいった。驚いたように隠者の眉がぴくりとした。隠者は小さくうなずいてガウェインの言葉にこたえると、一瞬ためらってから食器戸棚のほうへ立っていき、石の水差しと角でできた杯をふたつもってきた。

「旅人に食事を出したくらいで困りはせん」隠者は気がすすまないといったふうに話しはじめた。「わしが自分で調達できんものは、村人たちがもってきてくれるのでな。余るほどじゃ。さあ、ビールだ」

「近くに村があるのですか？　人里からずいぶん離れているものと思っていましたが」ガウェインがいった。

「五、六キロ離れておる」隠者は不思議そうにガウェインを見た。「森のはずれじゃ」

ガウェインは笑いながら、首を振った。「それなのに、旅をしていてこの何日間か――いや、何週間か――、ひとりも人を見かけていない」

「いったいどこからきたのだ？」

ガウェインはやってきた方向にあいまいに手を振った。「あちらから」

「あっちのことはなにも知らんな」隠者はそっけなくいった。

気まずい沈黙がながれた。

「すると、村人たちが礼拝にくるのですね」しばらくして、ガウェインが口をきった。なにか話をしなくては、と思ったのだ。

「いや、村には教会がある。いずれにしても、わしは司祭ではないのでな――礼拝堂が荒れぬよう守っているだけじゃ」隠者は肩をすくめた。「村の連中は、たいてい、天候をたずねにくる」

ガウェインはわけがわからなかった。「天候をたずねに？」

隠者はばかにしたような笑みを浮かべた。

「それが隠者の仕事だ。知らなかったのかね？　天候を予測することと、医術を少々。村人たちは、ここに聖職者をおきたがる。聖職者がいればこのあたりの格が上がると思っておるのだ。だが、同時に、聖職者は実生活の役に立たなければならんとも思っておる。そういうわけで、ときおり、天候をたずねにやってくる。わしはそれに詩でこたえる――そのほうがありがたくきこえるからな」

「『空の朝焼け、嵐の先駆け』というような？」

「まあな」鼻をすすりあげた隠者の顔に、うぬぼれたような表情がちらりと浮かんだ。「ただ、もっとこの地方にあわせたものだが。たとえば、今日、夕暮れどきにだれかがきていたら、こういってやったかもしれん。『いつになく裏山低し、まちがいなく雪の兆し』」

「ほんとうですか？」ガウェインは興味をもったようにたずねた。「これから雪になるのですか？」

「いいや」隠者はこたえた。「しかし、雪になるときにはそう見える。今日はそう見えないから、雪にはならん」話し方は陰気だったが、隠者はこの話題に熱中しているように見えた。「連中は長期的な予報も好きでな。『十一月の氷薄ければ、上にのれるはちっちゃなカモのみ、あとも暖か、ぐちゃぐちゃぬかるみ』――これは気に入りのやつだ」

「なるほど」ガウェインは二、三秒のあいだ、必死に考えた。「こういうのはどうです？『三月にマツユキソウが顔ださぬ年、七月になってもまだスイセンの咲くことなし』」

隠者はあいまいな表情をした。「少し極端だな。三月になってもマツユキソウが出てこんようなら、スイセンなど永遠に咲かんと思うがな。それに語呂が悪い」

「そうですね」ガウェインはまた考えこんだ。「よろしい。『空に轟く雷、牛は伏して死ぬなり』」

「ますますひどい」隠者の口調には憤慨しているような響きがあった。「人騒がせなだけだ！」

「しかし、雷が鳴れば、死なないまでも伏せるくらいはするでしょう。詩的効果をねらったのです」

「天候の予測に詩的効果などもちこんではいかん。簡潔でありながら内容が充実していることが大事なのじゃ。たとえば、『丘の上に牛、明日もまだまだ天気はよし』というようにな」

しかし、ガウェインは新しく発見した詩という形式に夢中になりはじめていた。自らもう一杯ビールを注ぎながら、ガウェインは熱弁をふるった。「『彼方（かなた）で雷轟けば、此方（こなた）で牛が咳（せき）をする』！」

隠者は顔をしかめた。「牛の咳などきいた覚えがない」

ガウェインにこれ以上つづけさせまいといった口調だ。

「かまいませんよ」ガウェインがこたえた。「牛は咳をするといってみてごらんなさい。人々には、そこらじゅうの牛が咳をしているようにきこえはじめ、牛が咳をすることを知っていると思うのです。〈知る〉とは、実は、そのようなことなのです」

「おまえさんはそういうことに詳しいのかね？」隠者がガウェインの目をのぞきこんだ。

「それほどでもありません」ガウェインは謙虚にこたえた。「しかし、こういったことは、よく目にすることですよ、そうではありませんか？　それより、治療をするときにも、詩を使うのですか？」

「もちろん」隠者はまたガウェインの杯を満たした。「医術に使う詩の多くは、実は呪文なのじゃ。たとえば、熱湯や火でやけどをした者には、泉の水に浸したキイチゴの葉を巻いてやりながら、こんな呪文を唱える。

『東の国から三人の女がやってきた
ひとりは火を、ふたりは霜をもってきた
火は追いはらえ、霜は招きいれよ』」

「似たようなのを知っている！」ガウェインが声をあげた。「鼻血が出たときにオークニーで唱える言葉です。子どものころ、乳母がいつも唱えていた。

『ヨルダンの国を越えて三人の乙女がやってきた
それぞれが血まみれのナイフをもってきた
止まれ、止まれ、血よ止まっておくれ
鼻血よどうかおさまっておくれ』

わたしの一族はよく鼻血を出したのでね」ガウェインはしばし、子どものころに思いをはせた。「ただ、その呪文が効いたのかどうか、思い出せないのだが」

「呪文の効き目など、それほど重要なこととも思わんがな」隠者はそっけなくいった。「大切なのは、治ると信じさせることだ」

「それだ！」ガウェインの顔がぱっと明るくなった。「人々は、呪文の効き目を知っていると思う。これもまた〈知る〉といわれることがらがどのようなものか示すいい例ですよ」

「詩にしておけば、覚えやすいしな」隠者は、自分のひと言ひと言にガウェインがどのように反応するか、異様なほど熱心に見ていた。「わしは、薬草の効能を詩にまとめあげたのだが……」

ガウェインがその作品をききたがったので、隠者は大いに喜んだ。隠者は自分の杯に半分ほどビールを注ぐと、咳ばらいをした。

「〈悪寒は靴にヨモギギク、熱にはヤナギ、はやり病にニンニクを。こんこん咳にアンゼリカ、ぜいぜい喘息フキタンポポ。めまいにケシで――〉」

ところが、ガウェインは自分の詩を作るのに夢中で、隠者がめまいと対になる句を見つけたのかどうか確かめるところまできいてはいられなかった。

「〈レモンバームで体をごしごし、悪霊どもはたちまちたじたじ〉」ガウェインは声をあげた。

隠者はため息をついていった。「そんなものはあまり役に立たんな。おまえさんは天候の予測のほうがまだましだ」

「なるほど」ガウェインはここぞとばかりにつづける。「〈ぼんやりかすむ合図ののろし、くずれかかった天気のしるし〉」

「とてもすばらしい」隠者の口調には、いくらか勝ちほこったような響きがあった。「いつから引き継ぐことができるかね？　二、三日出発を遅らせて、秘訣を教えてやってもよいぞ」

「引き継ぐですって？」ガウェインは隠者を見つめた。「いったいなにを引き継ぐのです？」

「このいおりだ」隠者はこたえた。「この仕事を始めたころのわしよりずっと筋がいい。おまえさんなら、うまくやっていけるにちがいない」

「ちょっと待ってください。どうしてわたしがあなたの仕事をしたがっているなどと思うのです？」

「やってみたいからこそ、詩など作っておったのだろうが？」隠者は無邪気に驚いてみせたが、いやに人当たりがよすぎる。

「いいえ」ガウェインはこたえた。

「ほんとうにやってみる気はないのかね？」隠者がなだめすかすようにいった。「ほんの少しのあいだだけでも？」

「ええ」ガウェインはためらっていた。礼拝堂の清らかな静けさやリンゴの木の植わった庭を思った。ガウェインは、隠者の質素な部屋を見まわした。暖かく、ほっとする部屋……。「いや、その気がないというわけでもないのですが」ガウェインはゆっくりと言葉をつづける。「いずれにせよ、無理なのです。探し求めることがあって旅をしている途中ですから。年が明けた日にはカーライルにいなければなりませんし」

「ほう。して、どのようなものを探し求めておるのかの？」隠者はとくに興味もなさそうにたずねた。

「あなたのお得意の分野ではなさそうですが」ガウェインは気をつかうような口調でいった。「それは……その、〈すべての女が最も求めているものはなにか〉という問いの答えを見いださなくてはならないのです」ガウェインは申し訳なさそうにほほえんだ。ところが、驚いたことに、隠者は両腕に顔をうずめてテーブルの上に泣き伏してしまった。

「まったくもって、おまえさんのいうとおりだ」隠者はすすり泣きながらいった。「わしは、かつて自分が求めておったものを思い出すことさえできん！　十年じゃ！　そして、それもようやく終わるときがきたと思った。ここから離れられると思ったのだ……」

「隠者殿——ご長老——」ガウェインは心配そうに隠者の肩をたたいた。「どうなさったのです?」

隠者は顔をあげた。

「どうしたかだと?」僧衣の袖で鼻をぬぐう。「おまえさんがやってきて、新年をカーライルで過ごすだの、女がどうしたなどというから……この十年間、ひとりの女も見ておらん。カーライルへいけるなら、なんでもくれてやるわ」隠者は憤然と鼻をすすりあげた。

「ここの生活にうんざりしているのなら、よそへいかれたらいかがです?」

「できぬのだ。いろいろときまりがあってな、だれかほかの者が代わってくれるまではここを離れられん」

ガウェインは心から励ました。「すぐにだれかがきますよ」

「そうだろうとも!」隠者は苦々しげに笑った。「おそらく、また十年後にな! これもきまりだが、代わりになるのはよそ者でなくてはならん。おまえさんは、わしがここにきてから最初に現れたよそ者なのじゃ!」隠者は頬杖をつくと、悲嘆にくれてテーブルを見つめた。

「仕事を引きうけたときに、こうなることはわからなかったのですか?」ガウェインがたずねた。

「ふん! あのときはなにもわからなかった。仕事を引きうけることになるということさえ、わからなかった。あの悪党め! わしにはちみつ入りのビールをたらふく飲ませおって——気がつくと朝でな、頭が割れるように痛んだ。しかも、やつの汚らしい僧衣を着せられて、ひとり取りのこされておったのだ」

ガウェインはぎくりとしてビールの水差しを見ると、自分の杯を押しやった。

「同じことをわたしにしようとしていたのですか？」ガウェインは憤慨してたずねた。

「ええと――その――」隠者は気まずそうにいった。「ためしてみる価値はあると思ったのだ。おまえさんは、この仕事にうってつけに見えたのでな」

「公正なやり方とは思えぬが」

隠者は意地の悪い笑みを浮かべた。「わしだって同じ目に遭ったときには、そう思ったわい。しかしな、考えてもみてくれ――十年間で初めてのチャンスだったのだ」

「いつもこういうやり方で仕事が引き継がれるのですか？」ガウェインはたずねた。「つまり、その悪党とやらも同じ目に遭って――」

「いや、ちがう。あの男は、もとから聖職者だった」隠者がぴしゃりといった。「キリストの遺体を引きとったアリマタヤのヨセフの血縁で、キリストの第八親等にあたるとかいっておったな。いったいどういうことなんだか。あのとき、『あんたがそうなら、わしは聖ペテロの義理の母だ』といい返してやればよかったのだが、そういうことはあとになってから気がつく。そうだろうが？　まあ、ともかく、わしはそうじゃ。そいつはナシアンという名だったが、この名前をきいたことがあるかね？」

ガウェインは首を横に振った。

「おまえさんには驚かされるよ」隠者は意地の悪いいい方をした。「あの男はもう司教くらいにはなっているものと思ったが。こんなところでじっとしているのに飽き飽きして、もう少し自分の能力を生かす機会がほしかったのだな。それで、まぬけな騎士が冒険を求めてやってきたときに……うー！」隠者は体を震わせた。「大ばか者め！　ブラスティアスという名を覚えている者などもうおらんのだろうな？」隠者は期待をこめてガウェインを見た。

「残念ながら、おそらく……」ガウェインは気の毒そうにいいかけた。

「かまわん」ブラスティアス卿がいった。「おまえさんはまだほんのちびだったろうからな。それに、あのころはいろいろなことで姿を消してしまう人間が大勢いたから、わしがいなくなったところで気づきもしなかったろう」

「申し訳ありません」

「かまわん」ブラスティアスは繰り返すと、むっつり黙りこんでしまった。が、やがて自分で自分を奮いたたせるように、口をきった。「なにか探し求めているといったが、いったいどういうことだ？」

「実は、神明裁判のようなものなのです」

ガウェインは、必要以上のことをブラスティアスに話す気はなかった。ところが、ブラスティアスは興味をもったらしい。

「神明裁判だと？」ブラスティアスは期待に満ちたようすで、ぼさぼさの眉をあげた。「なあ、ここにいて、断食と祈りで罪を償ったらどうだ？　悪くないと思うがな。わしがカーライルへでかけて、おまえさんがこないわけを説明してやろう」

「罪を犯してはいません」ガウェインは暗い声でいった。「正しい答えをして、無実を証明したいのです」

「正しく答えられなかったら？」

「首をはねられます」

「なあ、お若いの」ブラスティアスが注意深くいった。「〈すべての女が最も求めているもの〉なんぞをいいあてられるかどうかに命がかかっているのなら、絶対にここに留(とど)まっていたほうがよいぞ。再びよそへいけるようになるまで十年間待つことになるとしてもな。たいした暮らしではないと思うかも知れんが、ここでの暮らしは――そう、神の与えたもうた生命そのものじゃ」

ガウェインは背筋を伸ばした。一瞬、ブラスティアスの勧めについて考えてみる気になった。ここは平和に満ちていて、必要なものはみな手に入る。それに、この何か月間か、男であれ女であれ友人とのつきあいをなつかしいと思うこともなかった。が、また思いなおした。いや、もしここに導かれることがなかったら、このように心を迷わすことなくきちんと約束の日に……ガウェインはブラスティアスを見た。

「ブラスティアス卿、ここに留まれば、わたしは名誉を汚し、生涯、そのことを恥ずかしく思うにちがいありません。おわかりでしょう」

納得のいかない隠者は、ぶつぶつと不服そうにいった。「ああ、わかるとも。おまえさんはカーライルへいって首をはねられ、わしはここに残って朽ちはてる、そういうわけかの。ときおり知りたいと思うのだが、名誉などというものを考えだしたやつは、自分がなにをやっているのかわかっておったのだろうか？」

隠者が問いかけているとき、ガウェインはあることを思いついた。「わたしがここに残るわけにはいきませんが、あなたをここから解放することはできるかも知れませんよ。カーライルに着いたら、ボールドウィン司教にあなたのことを話します。司教があなたの仕事を引き継ぐ者を手配してくれるでしょう。それではだめでしょうか？」

「だめなわけがない」ブラスティアスはゆっくりといった。

「司教なら、このいおりが無人にならぬよう常に人をおき、しかもその人が好きなときに去ることができるよう、取りはからうことができます」ガウェインはつづけた。「そうなれば、なにもかも今よりうまくいく。あなたのやってきたことがまずかったといっているのではありませんよ――」

「わしは情けない隠者だった！」ブラスティアスは気持ちを高ぶらせて声をあげ、ガウェインの手をつかんだ。「お若いの、なんと礼をいってよいのやら」

その晩、ガウェインは暖炉の前にしつらえられた寝床に横になった。ブラスティアスの客用毛布にくるまり、藁のマットレスの上に長々と体を伸ばし、羽毛の枕に頭をのせる。これまで経験したことがないほどぐっすり眠れるにちがいない、と思った。ところが、驚き、困ったことに、少しも眠れない。何か月ものあいだ野宿をしていたせいで、寝床の心地よさになんとも落ち着かないのだ。伸びをしたり、力を抜いたり、心地よさを堪能して、ようやく眠りにつきかける――と、そのとき、はっきり目が覚めていることに気づく。

寝床へもちこんださまざまな思いもまた、ガウェインが安らかな眠りにつくのを妨げていた。星空の下で夢も見ずに眠ってきた何週間ものあいだ、心のなかは、浜辺で波に洗われた貝殻のように真っ白で空っぽだった。ガウェインは永遠に終わることのない現在を生きていた。ところが、今、また過去ができた。そして、未来――あと四十日間の未来も。

まもなく夜が明けるというころ、ガウェインはようやく眠りについた。

ラルフ・レッドマンの農場は谷あいの小高い場所、カーライルまで一日半のところにあった。何世代ものあいだに農場はひとつの小さな共同体になっていて、十五キロあまり離れた大修道院に形ばかりながらもなにがしかの寄付をしていた。人々が住みついて耕している土地は、名義の上では大修道院のものなのだ。そこで、新たな修道院長が就任するたびに、気持ちばかりの善意の寄付ではなく、相応の金額――すなわち、修道院長が定める借地料――を農民たちに納めさせるべきだと決定するのだが、実行されたことはなかった。

修道院の食料係と修道院長の執事はときおり、レッドマン農場まで汗をかきかきやってくる。それから、食料係がまじめくさった顔をしていう。「なあ、ラルフ……」するとラルフはすかさずいう。「これはこれは、エドマンド修道士様、道をのぼっていらして、暑いことでしょう。おーい、シシリー！エールを頼む！」修道院からやってきたふたりが元気を取りもどし、ラルフが自分も父親も祖父もこれまで修道院に借地料など払ったことがないと説明しおえるころには、修道院長の代理人たちが帰る時刻になっている。そして、いつものように、なにひとつ進展していないというわけだ。

ラルフは折にふれて修道院に届け物をしていた。それらを合わせせると、借地料を払うのと同じくらいになっていたかもしれない。しかし、届け物が定期的にならぬよう、また、届ける品の種類や量がその時々でばらばらになるよう注意を払って、修道院長が届け物を借地料の正式な支払いだと解釈しないよう心を配った。

ガウェインは十二月のはじめ、一夜の宿を求めてレッドマン農場にやってきた。ここまで急がずにゆっくりと北に向けて馬を進めてきたのは、クリスマスまえにカーライルに着きたくなかったからだ。ガウェインの心は沈んでいた。この分では、ひと月も宮廷で過ごさなければならない。

「長旅が終わるというのにうれしそうにしない人間なんて、これまで見たことがないわ」ラルフの妻のシシリーがいった。

「大晦日までは着きたくないのです」ガウェインは説明した。

「じゃあ、そのまえの日までここにいればいいわ！」

「かまわないのですか？」信じられないというようにガウェインがいった。

シシリーは唇をすぼめて、ガウェインを見た。なにかを決めかねているようなようすだったが、まもなく笑いだした。「もちろんよ。うちで働いてるジャンキンが足をくじいて歩けないから、代わりに手伝ってもらわなけりゃならないけどね。それが嫌じゃなかったら、ここにいてもらってかまわないわ」

隠者のブラスティアスと同様、ラルフにも馬を見る目があることは充分に考えられたし、旅の汚れでみすぼらしいなりをしているとはいえ、シシリーには旅人の身分くらい察しがついたにちがいない。ところが、この農場のだれも、ガウェインに素性をたずねようとはしなかった。ガウェインはガレロンと名乗り、みんなはそのまま受けいれた。ガウェインは水を運び、薪を割り、家畜の世話を手伝い、男たちが冬のあいだの貯蔵食料を補充するために狩りにでかけるときは、ほかの犬たちといっしょにゲラートをつれてでかけた。一年の終わりが近づいている。裁きの日まであとわずかだということは片時も頭から離れなかったが、ここでガレロンとして働いているあいだは、その考えをわきにどけておくことができた。

これまでのように今回も万事うまくいくとはかぎらない。ガウェインはしばらくのあいだ、うまくいかない場合のことをまっこうから考えてみようとした。まともに向きあって考えないのは愚かでいくじのないことだと思ったのだ。が、結局、最悪の場合に備えて心の準備をしようとするのをやめなければならなかった。なぜなら、最悪の事態になるなどということを、ガウェインの想像力が受けいれようとしなかったからだ。そのうえ、心のどこかで小さな声が繰り返しささやくのだった。なにが起こることになろうと、今となっては――たとえもっと以前になにか打つ手があったとしても――もう、できることはなにもないのだ。だとすれば、わざわざ自分を脅かすようなことを考えてなにになる、と。〈なにごとも起こるべくして……〉心のなかの声がいった。ガウェインは、その勧めに従って少し息を抜き、レッドマン農場の一員になり、その温かさに包まれ、その日課に従って生活してみようと思ったのだった。

ガウェインははじめ、この古い農家――アーサー王が国内を平定するまえに侵略者に備えて造られた古い建物だった――に暮らすさまざまな人々の関係を正確に知ろうとしたが、すぐにあきらめた。というのも、だれもかれも自分以外の人間を――ガウェインのことさえも――〈いとこ〉と呼ぶのだ。レッドマン農場の人間はみな、互いに親戚だと信じきっているようだった。幼いジョーンが貯蔵室の上のラルフとシシリーの寝室でいっしょに寝ていること、広間の羽目板をずらすとその奥にアリスとウォットの箱寝台――まさに箱のなかに寝具を入れたような寝台――があること、そして、この三人がラルフとシシリーの子どもたちだということはわかった。しかし、それぞれに箱寝台をもっているクレムおじさんとエレンばあさんがここのあるじ夫妻とどのような関係なのかはわからなかった。

若い男女が何人か広間の床に寝ていた。生活の場という点では、ラルフの家のほうがガウェインの知っている多くの城よりうまく造られていた。この農家では、屋根を支える木の柱や壁の間にカーテンレールがとりつけられていた。昼間は壁際に寄せておいたカーテンを夜になると引きだして、いくつもの小さな仕切りを作り、寝室代わりにするのだ。ガウェインは客として優遇され、奥まった場所――貯蔵室の壁際――を与えられた。

昼間は、この広間がみんなの生活の中心になっていた。農場の周囲の小さな家々に分かれて住んでいる人たちでさえ、大半をこの家で過ごしているようだった。広間は、シシリーと〈娘たち〉が家族のために料理をする場所だったが、そのほかのさまざまな年齢の女たちもたえまなくやってきては、パン焼き窯を使ったり、大鍋を借りていったりした。大がかりな家事はすべて共同でおこなわれた。ビールの醸造、肉の塩漬け、はた織りなどは、羊の毛刈りや収穫などと同様、一族総出の行事だった。そのなかでも、クリスマスは重要な行事だったので、ガウェインが滞在しているあいだじゅう、広間は大騒ぎだった。

クリスマス・イヴの午後、ガウェインはジャンキンとがっしりしたテーブルの前にすわって、肉や果物を切ったりパン粉を作ったりといった、クリスマスのパイ作りのなかでだれにでもできる作業をしていた。アリスと、マージョリーだのエリナーだのといった娘たちは、もっと難しい焼き菓子作りをしている。シシリーは、アーモンドをすりつぶしてはちみつと練りあわせ、マジパンを作っている。アーモンドは、ラルフがケンダルからもちかえっためったに手に入らないごちそうなので、シシリーは自分以外のだれにも触らせようとしなかった。

ほかの男や少年たちは昼食のあと、クリスマスの秘密の仕事をするために姿を消していた。テーブルのまわりにいた女たちは明らかになにもかも知っているくせに、ガウェインがいったいどうしたのかとたずねると、目を丸くして、なにがなんだかわからないというふりをする。ジャンキンもたいして助けにはならない。ジャンキンは人差し指を鼻の脇にあてて、ウィンクをするだけなのだから。しかし、隠しごとがあるとわかっても、ガウェインは疎外されているようには感じなかった。彼らがだれかを驚かせようとして楽しんでいることがわかったし、ガウェインがなにも知らないということが今年のクリスマスの目玉になっているらしいこともはっきりとわかったからだ。幼いジョーンは、アリスが押しやったパイ生地のくずで人の形を作りながら、とても真剣な目でガウェインを見あげた。

「怖がっちゃだめよ、あの人たちが――」みんながしーっといってジョーンを黙らせるが、ジョーンは母親そっくりに唇をすぼめる。「あのね、遊びなんだから」

「なるほど」ガウェインがこたえた。「だけど、もし怖くなったら、きみが手をつないでくれるだろう？」

ジョーンはまじめくさった顔でうなずいた。「怖くなるといけないから、ずっと手をつないでいたほうがいいかもしれないわ」

「おませさん！」アリスが叫んだ。「そんなふうに男の人にいいよるなんて！」

アリスは小麦色の肌をしたかわいい娘で、いつも笑っていた。目は賢そうにきらきら輝いていて、頬は度々かまどをのぞきにいくせいでばら色に染まっている。アリスはシシリーの横の鉢に指をつっこむと、指についた水を妹に向かってはねとばした。

「アリス、いいかげんにしなさい！」シシリーが怒っていった。「あんたの粉だらけの指であたしのバラ水が台なしになっちまうわ！」

　まわりの顔——若いのや年老いたの、ふっくらしたのややせたの、笑っているのや料理に熱中して眉間にしわを寄せているの——を見て、ガウェインは気づいた。少なくとも午後のあいだ、この大きな部屋は叔母のいる修道院と同じように女だけの小さな世界なのだ。もっとも、こちらは世俗の世界だが。森のなかに入ったあの五月の朝以来、ガウェインはグリムの謎をだれにも問いかけていなかった。が、このときガウェインは思った。もしここで答えが得られなかったら、どこへいっても得られないだろう。

「シシリー、この世でいちばんほしいものは？」ガウェインは、自分の考えが変わらないうちに急いでいった。

「なぞなぞ？」シシリーは、もっていた鉢を脇におくと、ウエハースを大皿に並べはじめた。

「ええ、まあ。それはともかく、ほんとうにほしいものはなに？」

「あたしは、絹のガウンと髪にかぶせる金糸のネットがほしいわ」娘たちのひとりがいった。

「それじゃ、ふたつになっちゃうわ」アリスがいった。「あたしは決まってるわ。とーってもハンサムな恋人よ！」

「ほう？」ジャンキンはガウェインにウィンクした。「男のほうがなんというか、おれにはわかるね！」

「アリス、あんたに必要なのは、ときどきたっぷりおしおきしてもらうことよ」とシシリー。

「ああ」ジャンキンがいった。「〈女と犬とクルミの木、打てば打つほどなおよろしい〉っていうからな」

「どうもご親切様」アリスがふくれた。「せいぜい楽しいクリスマスをお過ごしなさい！」

シシリーはテーブルの上に小麦粉を少しふると、鉢のなかのマジパンの生地をその上にあけて、のばしはじめた。なにか考えこんでいるらしく、唇をすぼめている。

「あたしがいちばんほしいものはなにかしら？　なにもほしいものなんてないみたいだけど」

「だれでも必ずなにかほしいものがありますよ」ガウェインはいった。

「そんなことないわ、ほしいものをすべてもっている場合にはね」シシリーがいい返した。「そして、あたしがそうなのよ」

シシリーは、ウエハースを敷きつめた皿の上に平たくのばしたマジパンをのせ、端にひだを入れた。

「では、もし満ち足りていないとしたら、なにがいちばんほしい？」ガウェインはたずねた。

シシリーは舌打ちしてこたえる。「むちゃくちゃな質問だわ！　なにも足りないものがないのに、そんなことわかりっこないじゃないの。あたしにわかってることは、すばらしい夫がいて、自分が切り盛りする家があるってこと。まじめに働いて手にいれられるものはなんでももっているもの、王妃様の暮らしとだってとりかえる気はないわ。それなのに、なにをほしいといえばいいの？」

ガウェインは首を振った。〈最も求めているもの〉などとくにないので、それがなにかわからないという女もいるかもしれない。あるいは、〈最も求めているもの〉を手にいれているのにそれに気づいていない場合もあるかもしれない。答えを見つけることなど、やはりできそうもないような気がした。おそらく答えなどないのだ。おそらくそれこそが答えなのだ。そういうふうに頓知で答えなければならないなぞなぞがよくあるではないか。ガウェインがちょうどそう思いついたときに、シシリーがいった。

「でも、なぞなぞなら、あたりまえの答えなんか期待しないほうがいいわね――なにかひねりがあるにちがいないわ」

シシリーは丸盾ほどもある大きな砂糖菓子をもちあげると、すばやくかまどへ入れた。

庭に通じる扉が開いて、若者の顔がのぞいた。ずきんのてっぺんが白い。

「雪だぞ！」若者は叫んだ。

テーブルの端や広間の隅のほうで遊んでいた子どもたちが勢いよく立ちあがると、扉に向かって駆けだした。

アリスは振りむくと、粉だらけの手をエプロンでぬぐった。「そろそろ、とりにいく？」

「このごたごたを片づけてからよ」シシリーは語気を強めていうと、娘たちに声をかけた。「ほらほら、あんたたち、さっさと体を動かして！」

たちまち、仕事のテンポが速くなった。ひとりが、細かく切ってあった肉をガウェインの前からとって、すばやくパイ皮に入れた。別の娘は、ガウェインが使った包丁とまな板をひったくるようにして片づけた。することがなくなったうえ、テーブルのまわりは女たちが猛烈な勢いで動きまわっていて、おちおちすわっていることもできない。ガウェインは、子どもたちと外のようすを見にいった。ジャンキンが足をひきずりながらついてくる。雪が降り積もり、庭はすっかり白い毛布におおわれていた。

「そういえば、今まで穏やかな日がつづいたからな」ジャンキンはいった。「これからは寒さが厳しくなるだろう」

「『十一月の氷薄ければ、上にのれるはちっちゃなカモのみ、あとも暖か、ぐちゃぐちゃぬかるみ』」ガウェインがいった。

「ほう」とジャンキン。「『クリスマスまえの氷厚ければ、大のおとなも上にのれる、あとは暖か、ガチョウしかのれぬ』」

上出来だ！　と掛け声をかけてジャンキンを褒めたたえてくれるような人がそばにいたらよいのに、とガウェインは思った。ガウェインはしげしげとジャンキンを見た。「ジャンキン、隠者になろうと思ったことはないかい？」

ジャンキンは片目をつぶった。「あるとも！」

広間を片づけて、隅から隅まですっかり掃いてしまうと、娘たちはみな、マントを羽織り、ずきんと手袋をつけて、ぞろぞろと庭に出てきた。

「ほら早く」アリスがガウェインにいった。「今度はあなた、男の側にいかなきゃならないのよ」

すでに若い男の一団が、木の茂った斜面に向かって歩きだしていた。娘たちは憤慨して叫びながら、あとを追って駆けだした。

「なにが始まるんだい？」ガウェインはウォットに追いつくと、息をきらしながらたずねた。

「ヒイラギとツタをとりにいくんだ」ウォットは、なた鎌を振ってみせた。

娘たちは腕にたくさんのツタを抱えて、男たちより先に農場にもどってきた。といっても、ほんの何秒かの差だ。娘たちは互いに笑ったり叫んだりしながら、雪のなかをやっとのことで駆けてきて、扱いにくい緑の束を広間に引きずりこんでいる。アリスは戸口に立って、娘たちを急がせた。

「入って！　扉にかんぬきをかけるのよ！」アリスが甲高い声で叫んだ。

しかし、まにあわなかった。先頭をきってやってきた男たちが玄関前のポーチに着いたとき、アリスはまだかんぬきをかけるのに手間どっていた。男たちは重い扉にのしかかって閉めさせまいとし、娘たちはなかから押しかえして閉めようとしている。

ヒイラギの枝を抱えていたために少し手間どったが、やがて男たちはなんとか体が通るくらい扉を押しあけた。しかし、これで勝負がついたわけではない。というのも、娘たちが、垣根を作るかのようにツタを前に掲げて、扉の内側に群がっているからだ。

『ツタこそ木々の王、
来たれ、頭を垂れよ、冠を授けよう』

娘たちがうたう。しかし、娘たちは徐々にうしろにおされ、やがてヒイラギが部屋のなかに入ってきた。

『さにあらず、さにあらず、王はツタにあらず、
ヒイラギに勝利を与えよ、昔ながらのしきたりどおりに』

男たちが、負けじとうたいかえす。部屋のなかに入った男たちは、逆に娘たちを広間から閉めだそうとしているようだ。もっとも、実際に押しあいをするというよりは言葉でやりあっている。その場で思いついたやじはもちろんのこと、互いに詩や歌で応戦する。しかし、じきに双方とも息がきれ、歌声はただのときの声――一方が〈来れ！〉、もう一方が〈ツタにあらず！〉――になった。やがて、向きあっていたふたつのグループはばらばらになり、みな、てんでにだれかを追いかけて広間のなかを駆けめぐりはじめる。ガウェインはまだヒイラギの束をしっかり握りしめていたが、頭にはツタの冠をのせられていた。気がつくと、小さな女の子三人に追いつめられて部屋の隅にいる――まるで酒神に仕える巫女（みこ）のように、ツタの冠を頭にのせ興奮して自分を追いかけまわす子どもたちは、なにをするつもりなのだろう。そのとき、シシリーと年配の女たちが温めたエールをもってきたので、ガウェインは難を逃れた。あちらこちらの小競りあいがすべて終わると、緑の枝を床において、争っていた者たちは息をはずませながらいっしょにテーブルを整え、食べ物や飲み物を用意した。

クリスマス・イヴにはきちんとした夕食をとらずに、それぞれが勝手にパンと冷肉をテーブルからとってきて食べ、スープを暖炉の脇の大鍋からもってきて飲んだ。まだやらなければならないことが残っていたからだ。ひと息つくと、若者たちは男も女も、また緑の枝を取りあげた。が、それで争うのではなく、広間の飾りつけをする。みんなでいっしょに、ヒイラギのリースとツタの飾りを作り、壁にかけた。ときおり、少年のだれかが『ヒイラギとツタ』の歌を口笛で吹きはじめ、ほかのだれかからツタでたたかれている。また競争が始まったが、今度の競争は広間の両側でおこなわれている。どちらが先に飾りおえるかを競っているのだ。

クリスマスの朝、家の者は夜明けまえに起きた。いちばん近い村の教会まで八キロほどの道のりを歩かなければならないからだ。ふだんの日でも人々が起きているあいだは広間が静まりかえることなどないが、この朝は祝日の興奮でわきたっていた。娘たちは互いの髪を編み、若い男たちは磨きあげられたいくつもの銅の鍋のまわりに集まり、あごひげを手入れしている。農場の周囲で別々に暮らしているおばさんやおじさんやいとこたち（実際は、娘や息子や孫たちかもしれない）はすっかりでかける支度をしてやってくると、暖炉のそばの長椅子に腰かけて待っている。シシリーは手をたたいて、みんなを急がせている。

シシリーは気が気でないようすで、これじゃ、お昼になっても支度が終わらないわといっていたが、一行が谷あいの道を下りはじめたとき、外はまだほとんど真っ暗だった。山々に降りた初雪はまだきれいなままで、地平線は白みはじめた空とほとんど見分けがつかない。子どもたちははしゃいで、今にも前を駆けていって雪の球を投げあいそうにしている。が、おとなたちから「おとなしくしていないと、教会につくころには服が汚れてひどい格好になっちまうぞ」と声をかけられると、縦に一列に並んで歩きはじめた。大勢の子どもたちが一列の、乱れのない足跡を残していく。ジョーンはこのゲームに飽きて、ガウェインと並んで、手をつないで歩いた。

教会は古くて低い建物だった。ずんぐりした塔があり、庭には何本ものイチイの木が植わっている。教会の内部は、柱に結びつけた黄色い灯心草ロウソクで照らされている。アーチが低く、通路が薄暗く、洞穴のようだ。司祭席のある内陣だけが、祭壇のまわりに並べられた背の高いロウソクの光で明るく照らされている。

あたりには城や貴族の領地がないので、もっとも豊かな信徒といってもせいぜいラルフのような裕福な農民くらいだ。教会には手織りラシャやケンダル織りのものはたくさんあったが、絹やヴェルヴェットのものはひとつもない。司祭は小柄で素朴な男だ。信徒たちとちがうのは、読み書きができるということくらいだろう。会衆のなかで、ガウェインは思った――このような教会なら、家畜たちがきてもとがめられはしないだろう。もっとも、家畜たちは深夜に家畜小屋でお祈りをすませているだろうが。

教会の外に出て、レッドマン農場にいるあいだに知りあいになった隣人たちに挨拶し、まじめくさって天候の予測をしながら（このあたりの人々はみな、生まれながらにして隠者の素質をもっているようだ、とガウェインは気がついた）、ガウェインはアーサー王と廷臣たちのことを思った。今ごろ、カーライルの大聖堂で金と香を捧げているだろう。本来ならガウェインもそこに参列しているはずだ。が、ガウェインは、カーライルの大聖堂ではなく、この、貧しくとも温かい雰囲気の教会で礼拝に参列できてよかったと思った。

レッドマン農場では夕食のあと、組み立て式テーブルをどけて、全員で目隠し鬼をして遊んだ。鬼になった者は目隠しをされて両手をうしろに出し、自分の手をたたいた者をいいあてなければならない。

順番がきてアリスが鬼になったとき、最初にアリスの手をたたくことになったのがガウェインだった。アリスはすぐにいいあてた。

「ガレロン!」アリスは叫んだ。「こんなに優しくたたいてくれるのは、ガレロンくらいだもの!」

しかし、ガウェインが鬼になったときには、鬼の役から逃れるのにずっと時間がかかった。というのも、なかには名前を思い出せない相手もいるくらいだったから、自分をたたいた手がだれのものかいいあてることなどできるはずがなかったのだ。そこで、ガウェインはそのたたき方から女か男かを判断して、「マージョリー」だの「ジョン」だのと思いついた名前をいってみる。やがて、ジョーンがきて、そっとガウェインの手をたたくと、自分の名前をささやいた。ゲームをしているうちに、男たちのほとんどが広間から姿を消した。そのことに気づくと、残っている者たちは長椅子を壁に寄せてすわった。なにかを待っているようだ。

「始まるわ!」ジョーンは小声でいうと、ガウェインにぴったり寄りそってすわった。

まず、庭に通じる扉の外から叫び声のようなものがきこえてきた。それから、バグパイプが響きわたり、奇妙な行列の入場を知らせた。ガウェインははじめ、風変わりな格好をした人々の見分けがつかなかった。バグパイプの奏者も含めた全員が顔を黒く塗り、さまざまな色の布切れをはぎあわせて作った衣装を着ていたからだ。しかし、この人々が広間のなかを練り歩くうちにいくらか見分けがついてきた。ふたりは、古い鉄かぶとを頭にかぶり、六尺棒をもっている。別なひとりは、棒の先にブタのぼうこうをふくらませたものをつけている。もうひとりは床まで届くスカートのようなものをはいている。最後のひとりは、先のとがった山高帽をかぶって、つけ鼻をつけ、杖(つえ)と黒い袋をもっている。行列は広間のなかをぐるりと一周すると、扉の横に並んだ。バグパイプ奏者が演奏をやめると、ぼうこうのついた棒をもっている男が前に出て、「魔王ベルゼブブなり」と名乗った。

「あの人たち、ママっていうのよ」ジョーンがガウェインの耳に口を寄せてささやいた。「スカートをはいてるからそう呼ばれるの――」

ところが、ジョーンの声は思ったほど小さくなかったようだ。

「ばか！　ママーよ――仮装劇の役者のこと」アリスがいった。

ジョーンはアリスから顔をそむけると、ガウェインの袖に顔をうずめた。

仮装劇はおきまりのだしものを見せた。ベルゼブブはみんなをだしにして冗談をいい、そのお返しに観客から言葉で攻撃された。聖ジョージとイスラム教徒は互いに相手を認めようとせず、六尺棒で戦う。インドの王女は金切り声をあげながら、ふたりのまわりを走りまわる。イスラム教徒は倒れて死ぬ。王女は、イスラム教徒のところへいっては嘆きの声をあげ、聖ジョージのところへいってはののしる。

「大丈夫よ」ジョーンは、ガウェインの手をしっかりと握りしめた。「ほんとうに死んだんじゃないの。ふりをしてるだけ」

やがて、王女は嘆いたりののしったりしているだけではだめだと考え、部屋を歩きまわりながら医者はいないかとたずねる。王女が少し歩きまわったところで、とがった帽子をかぶった登場人物が劇の中心になり、早口で口上をのべる。その一言一句がブラスティアスの薬草の詩(うた)と同じようにもっともらしくきこえる。その男はまず、王女にヒステリーの治療を施し、それから聖ジョージとベルゼブブの助けをかりてイスラム教徒の口に大きな錠剤を押しこむ。この部分はとても真に迫っている。ことに、イスラム教徒が嫌がってむせるところや憎々しげにののしりの言葉を吐くところがすばらしい。イスラム教徒が跳ねおきると、拍手喝采がわきおこる。そして、ガウェインにはどうしてそうなるのかよくわからなかったが、インドの王女は聖ジョージと結婚する。

バグパイプをもっている男がまた演奏を始め、だしものはダンスで終わる。出演者は全員、棒をもち、それでときどき床をたたきながら踊る。

これが終わると、だれもが踊りたくなり、アリスは役者のひとりにさっと連れさられた。どうやら、役者たちは最初にパートナーを選ぶことができるらしい。ガウェインはそのまま壁にもたれてながめていた。ふいに自分がよそ者だということに気づき、誘われもしないのにダンスに加わるようなでしゃばったまねはするまいと思ったのだ。すると、すぐにジョーンが膝にのぼってきた。ジョーンは両腕をガウェインの首にまわすと、いった。

「大好きよ」

「わたしもきみが大好きだよ、ジョーニー」ガウェインはジョーンを抱きしめた。

「いつかもどってきて、あたしと結婚してくれる?」ジョーンは顔をガウェインの肩にうずめたまま、たずねた。

「それはできないんだ。だが、もっとすてきな人をきみのところによこしてあげよう、どうだい?」

ジョーンはかぶりを振った。

バグパイプの奏者のほかに、フィドル奏者がひとりと、たて笛の奏者が数人いた。それから、ジャンキンが力強く太鼓をたたいている。ガウェインは、いつまでもひとり離れているわけにいかなかった。というのも、二曲目のダンス音楽が鳴りはじめたとたん、アリスがガウェインをダンスの輪のなかに引っぱりこんだからだ。

暖炉やロウソクの明かり、音楽、人々の笑顔——なにもかもがいっしょになって、ガウェインを誘惑した。ここに留まるというのはどうだろう？　ラルフのところで働くというのは？　望めば、そうできるだろう。みんなは自分を受けいれてくれるだろうし、このままずっとガレロンでいられる。若者たちと狩りにいき、羊や牛の番をし、ともに五月祭を祝い、干し草を作り、収穫をして……ガウェインはアリスを見おろした。アリスは横を向いている。小麦色のうなじと肩、黒い髪、そしてばら色の頬だけが見える。死にたくない。ガウェインはアリスの腰に手をまわすと、アリスをくるりと回転させてたずねた。

「アリス、すべての女性が最も求めているものはなんだろう？」

アリスは笑いながら、首を振った。が、離れて次のパートナーのところへ踊っていくとき、振り返って肩越しにガウェインを見た。

「あ・な・た！」アリスは声を出さずに、口だけ動かした。

十二月三十日、ガウェインはレッドマン農場から道を下り、ローマ人の造ったローマ街道に入り、カーライルへと向かった。クリスマスのあと、道は凍てつき、そこへ雪が降り、また凍てついたところへ雪が降り積もっていた。東の風にのって飛んでくる細かい雪が、ナイフのように突きささる。道の両側には、石を積みあげただけの塀がつづいている。塀の下のほうには、雪の吹きだまりができている。吹きだまりは、塀の隙間を吹きぬける風にえぐられて、てっぺんがとがり、表面に曲がりくねった筋が何本もついている。

日が沈むころ、ガウェインはイングルウッドの森のはずれにつき、使われていない見張り塔でその晩を過ごした。下の部屋の床には枯れ葉が散らばっていたが、炉端に乾いた薪が積みあげられているところをみると、今でも街道警備隊がときおりこの塔を使っているのだろう。領主のウリエンが、追いはぎから街道を守るために警備隊を送りこんでいるのだ。朝、塔を出発するまえに、ガウェインはあとからくる者のために薪を少し補充しておいた。急ぐことはなかった。なぜなら、昼すぎにはカーライルに着くことがわかっていたからだ。もうすぐそこなのだ。

風は、森のなかでは開けた場所よりもっと思いがけない働きをしていた。木々の間の吹きだまりは波のような模様を作って走り、からみあった下ばえに駆けのぼり、下ばえの上に舞いあがり、くずれて、まるで凍った泡でできた城壁のようになっていた。氷の膜をかぶった裸の枝が真っ赤な太陽の光をとらえ、反射して、まるで森が燃え、火花を放っているかのようだ。道に足跡が残っている。最後に雪が降ってから二、三人しか旅人が通っていないことがわかる。ほかの生き物の足跡も少ししかついていない。野ブタの群れが道を横切ったあとがある。道の脇にキツネの足跡がしばらくつづき、途中で急にそれて下ばえのなかに消えている。あわただしく走ったような足跡、羽を打ちつけたような跡、何滴かの血のしたたりがある。ハトが野生の猫のえじきになったようだ。しかし、実際に生き物を目にすることはなかった。通った跡があるばかりだ。

グウィンガレッドの足音と馬具のたてる音のほかには、なんの音もしない。風がやみ、凍りついた枝がこすれあうかすかな音さえきこえない。ときおりその静けさが、木々の間に響きわたるぎょっとするような音で破られる。氷と雪の重みに耐えかねて、枝が折れたのだ。

しかし、その白い静けさのなかをなにかがついてくるような気がする。ガウェインは幾度となく、前日いっしょに旅をしたのはだれであったか思い出そうとしている自分に気づいた。前日は、朝から晩までひとりで旅をしていたというのに。ときどき無意識に、自分の横に近づいてくる者を見ようとして振り返るが、ひづめの音もきこえなければ、雪の上に影ひとつ見えない。

もう少しで森を抜けるというとき、ようやく人間のたてる音がきこえてきた――しかも、これほど心地よい音はないというような音。ところが、あまりにふいにきこえてきたので、ガウェインは一瞬、耳を疑い、うなじの毛が逆立つような気がした。少し前方で、だれかがリュートを奏でながら、このうえもなく美しく口笛を吹いている。その調べに、春の日射しの記憶がよみがえった。

〈回る、回るよ……〉

五月の朝、丘の上で娘たちがうたっていた歌だ。ガウェインは好奇心をそそられた。この寒い森のなかで、リュートを奏で、口笛を吹いてひとり楽しんでいるとは、どんな男だろうか？　ところが、道の曲がり目を過ぎると、驚きが好奇心にとって代わった。音楽を奏でていたのは老婆だった。

老婆は、川のほとりのナラの木の下に、王座についた女王のように、あるいは、異教徒がまつる女神かなにかのようにすわっていた。ツタのからみついた岩の上に腰をおろしている。老婆の片側はヒイラギの茂みでさえぎられ、もう片側には凍りついた滝がよじれた氷のカーテンのようにさがり、太陽の光を受けて冷たく燃えている。からみあった白髪にしわだらけの頬、がっしりした鼻とあごをしていて、森と同じくらい年老いているように見える――しかし、黒い瞳は鋭く光っていた。老婆がまとっているのは、年相応の落ち着いた服ではなく、半分が白でもう半分が黒の、襟ぐりの大きくあいたサテンの服だ。その上に、縁に金の刺繍を施した緋色のローブをゆったりと、前をあけて羽織っている。女の子が花飾りをのせるような具合に、ヒイラギとツタの冠を頭にのせ、もつれた髪が肩にかかっている。

ガウェインはこの光景に驚き、礼儀も忘れて見いった。老婆はしばらくのあいだ、ガウェインがいることに気づいていないかのように、口笛を吹き、リュートを奏で、赤い舞踏靴をはいた足で拍子をとっていた。それから、最後を華やかにしめくくると、目をあげ、しわしわした唇を大きく開いてにやりと笑った。一本、黄色い歯が突きでているきりで、ほかにはまったく歯がない。ガウェインは、これほど奇怪な人物も、また、これほど自分自身に満足しているように見える生き物も見たことがなかった。

「ごきげんよう、ガウェイン卿」老婆がいった。

「ごきげんよう！」ガウェインは叫んだ。「どうしてわたしの名前を知っておられるのです？」

老婆は甲高い声で笑った。

「男だろうが女だろうが、このブリテン全土にガウェイン卿の名前を知らない者がいるかね？　この世界にそんな者がいるかい？　それより、おまえさんがその輝かしい名前のあるじだとわかったのはなぜかとたずねたほうが、道理にかなっていると思うがね。なにしろそのなりじゃ、生みの親だっておまえさんだということがわからないだろうからねえ。だが――」

老婆は頭を振った。「ガウェイン卿、知っているのは名前ばかりで

はない、探し求めているものがあることも知ってるよ！」

「驚くにはあたらないでしょう」ガウェインは思わず、にやりと笑みを返していた。「わたしの名前をご存じなら、わたしの探求のことも当然ご存じのはず。探求のこともまた、全世界に知られているにちがいありませんからね」

「ほう！」老婆はリュートに指をかけると、また華々しくかき鳴らした。「しかし、おまえさん、答えを教えられるのはあたしひとりさ！」老婆がもの悲しい旋律を弾きはじめると、ガウェインの頭のなかに歌詞が浮かんできた。

『春よ、春、美しき春は、
喜びもて迎えらる
冬よ、冬、厳しき冬は、
翼もて飛びさる……』

老婆は、ガウェインに向かって、あざけるように口笛を吹いた。ガウェインの顔から笑みが消えた。

ガウェインは背筋をぴんと伸ばすと、いった。

「わたしの不運をあざわらうのが楽しいようですね」ガウェインは馬を進めようとした。

「あざわらう？　おまえさんをあざわらうだって？」老婆は声をあげた。「お若いの、なんであたしがおまえさんをあざわらったりするんだい？　そうあわてなさんな。話のつづきをきいておゆき。謎とその答えを知ってるだけじゃない、そのうえ……あたしは……それをおまえさんに教えてやるつもりさ！」言葉の間にリュートの鋭い和音をはさんだ。和音は低い音からだんだんにあがっていく。「ほんの小さな願いごとをきいてくれたら、ね」取りいるような口調を帯びている。

「いったいどんな願いごとです？」ガウェインは警戒しながらたずね、十字を切った。恐ろしくもあり、気をそそられるようでもあったからだ。

老婆は涙が出るほど笑い、赤い靴のかかとを地面に踏みおろした。

「おや、まあ、ガウェイン卿！」老婆はあえいだ。「おまえさんの永遠の魂をもらおうなんて思っちゃいないよ、絶対にね！　天上の諸聖人に誓うよ！　悪魔が元気のいい若者をだますときには、もっときれいな女に化けると思わないかい？」老婆はなまめかしく流し目をすると、リュートをはじいて優しい調べを奏で、しゃがれ声でうたった。

『緋色の服着た
かわいい娘
娘に触れれば
服も揺れる。

バラのつぼみのような
かわいい娘
顔は輝き
唇は花びらのよう』

老婆はローブの裾で目をぬぐった。

「いいかい。あたしの願いごとをかなえると約束しさえすればいいんだよ。そうしたら、おまえさんに答えを教えてあげるよ。それで、あの醜い田舎者も口を閉じることになるさ」

「これまでにずいぶんたくさんの答えを教わりました」ガウェインはゆっくりといった。これはふつうじゃない。こんなことが実際に起こるはずがない。夢を見ているにちがいない――あるいは、頭がおかしくなったのか。

「だが、ぴったりのものがなかった」老婆が冷酷にいいはなった。「さあ、ガウェイン卿、心をお決め。ぐずぐず考えることなどなにもない。たとえ、あたしの答えがほかのと同じように役立たずだったとしても、今以上に悪くはならないさ。おまえさんは首を失い、すべての約束から解放される。だが、あたしの答えがおまえさんを救ったら、おまえさんは喜んであたしの願いをかなえてくれると思うがね」

「このまえ、ある女性に約束したときには――」ガウェインは言葉をきるると、幻を追いはらおうとするかのように頭を振った。が、しわくちゃ婆さんは相変わらずにやにやしながら、そこにいる。

「ハンサムな坊や、このまえおまえさんが約束した相手は女性なんかじゃない、うぶでばかな小娘さ。ところがどうだい、あたしのことをそんなふうに呼ぶ人間はひとりもいないよ！」老婆はまた甲高い声で大笑いした。

ガウェインは心を決めた。この老婆がだれなのか、どういう人間なのか、まるでわからなかった。このような老婆のいうことをきくとは、よほどの大ばか者にちがいないだろうが、それでも……。

「よろしい。約束しましょう。もしあなたの答えが正しかったら、そのあとであなたの願いをかなえることにしましょう。ただし、わたしの名誉を傷つけずにできることであれば、ということですが」

老婆は堂々とした緑の椅子から勢いよく立ちあがると、背中にリュートをかついだ。

「かがんで」老婆は命じた。「耳元でこっそり教えるからね」

ガウェインは背をかがめて、老婆の口元に頭を近づけた。老婆はやせこけた腕をガウェインの首にまわすと、ガウェインの耳になにやらささやいた。老婆がガウェインを放すと、ガウェインは顔をしかめながら背筋を伸ばした。

「それは、だれもが望んでいることではありませんか？」

「それがどうした？」老婆がこたえた。「それなら、なおさら確かじゃないかね？」

「正しい答えのように思える」ガウェインはつぶやいた。「とてもぴったりの……」

「心配はいらないよ、坊や！」老婆が大声でいった。「あたしのハンサムな坊や、さあ、うれしそうな顔をおし。カーライルできっとまた会えるさ、無事な姿でね！」

老婆に尻をたたかれて、グウィンガレッドは二、三歩跳ねて前へ進んだ。ガウェインは馬の上から振り返って、老婆を見た。

「どうやって、カーライルまでいかれるのです？　わたしのうしろに乗りませんか？」

「冗談じゃないよ！」老婆は毒づいた。「せっかくだが、小麦の袋かなんぞのようにおまえさんの暴れ馬の尻の上で跳ねながらいくより、自分の馬に乗ったほうが楽さ！」

老婆が指を口にあてて大きく指笛を鳴らすと、みごとな、若い黒馬が道のむこう側の木立から駆けだしてきた。鞍も馬具もすべて金の刻印のある緑色の革製で、金の飾り鋲と吊り飾りで飾られている。老婆は手綱をつかんで馬を止めると、少年のように軽々と鞍に飛びのった。

「では明日、ガウェイン卿」老婆が叫んだ。

老婆は手を振って、木立のなかへ走りさった。ガウェインが出会ったときに奏でていた曲を口笛で吹きながら。

V

ガウェインは牛車のあとについて城門をくぐった。門の両側に立っている見張り番は牛車の御者に愛想よく声をかけたが、ガウェインには目もくれない。外郭で馬からおりると、ガウェインはあたりを見まわした。

領主ウリエンの城は少しずつ拡張され、二百年以上のあいだに四方八方に不規則に広がっていた。最も古いのが主塔で、そのほかの塔と外壁は百年ほどまえに建てられたものだ。しかし、内壁と主塔の間のさまざまな木造の建物――家畜小屋や作業場や住居――はそのときどきの必要に応じて数年ごとに建てられたり取り壊されたりしていた。恒久的な建物の一角にウリエンが新たに増築したものは、大広間だった。この新しい大広間はごく最近完成したため、ガウェインはまだ見たことがなく、この増築によって城の内部がどのように変わったのかもわからなかった。グウィンガレッドを先に馬小屋に連れていくべきか、それとも自分が泊まる部屋を先に探すべきかを決めかねていると、イウェインが庭を大またで歩いてくるのが見えた。ガウェインは挨拶のつもりで手をあげた。ところが、いとこはとまどったようすで、わずかに顔をしかめた。

「どうしました？　なにかお困りですか？」イウェインがいった。

ゲラートがうれしそうに吠えながら飛びだしていった。イウェインは飛びついてきた犬を抱きとめて見つめると、飼い主のほうに目を向けた。

「ゲラートか……？」イウェインはとまどったようにいった。ゲラートはじゃれて遊びたがったが、イウェインはゲラートを下に押しやった。「まさか！　おい、ガウェイン、いったいぜんたい今までどこにいたんだ？」イウェインはガウェインの両腕をつかんだ。「夏至からあと、噂をきいた者さえいないのだぞ。クリスマスにも現れなかったので――」

「結局もどってこないつもりだと思ったか？」ガウェインはにやりとした。

イウェインはガウェインを揺すぶった。

「そうじゃない、このばか！　崖から落ちたとか――あるいは、妖精の丘に迷いこんだとか――なにかわからんが、そういったことになったのではないかと思ったんだ」イウェインは笑って、ガウェインの背中をどやしつけた。「おい、ほんとうにひどいなりだな。だが、会えてうれしいよ！　さあ、なかに入って、まともに見えるように身づくろいしろよ」

まずグウィンガレッドの世話をしなくては――ガウェインがいおうとしたとき、別の人物が突進してきて、ふたりの間におどりでると、よろめいてすべりながらようやく止まった。下に敷きつめられた丸石が凍てついて、つるつるしているのだ。

「兄さん！」ギャレスが大声をあげた。「無事でよかった！」

イウェインはまわりを見た。ガウェイン卿らしき人物が到着したという噂がすでに伝わっているらしく、庭をぶらついていた者たちがほんとうかどうか確かめに集まりはじめていた。

「やじ馬に囲まれたくなかったら、ここから離れたほうがいい」イウェインがいった。

ギャレスはすでに、グウィンガレッドの手綱を兄の手からとっている。

「鞍袋が……」ガウェインがいった。

「必要なものはすべておれの部屋にそろってる」イウェインはガウェインの肘をつかむと、自分の部屋のある塔へきびきびと連れていった。

ガウェインはおとなしくついていった。見物人たちはじろじろと見つめ、小声でひそひそと話していたが、ふたりが通るとのろのろと道をあけた。小姓の少年が自信なげに歓声をあげた。ガウェインが笑みを向けると、少年はくるりと振りむき、知らせを伝えに駆けだしていった。

イウェインはふだん、二部屋を自分用に使っていた。しかし、この時期には多すぎるほどの宿泊客があり、少なくとも客人が身分相応だと満足する程度のもてなしをしなくてはならない。そのため、イウェインはいとこたちと部屋を共有していた。イウェインとガウェインとギャレスが塔のいちばん上の部屋を共有し、アグラヴェインとガヘリスとパーシヴァルがそのすぐ下の部屋を共有し、付き人たちはどこであれ人目につかない隅があればそこへもぐりこんで寝るという具合だ。上の部屋には大きなベッドのほかに天蓋のついていない小さなベッドがひとつあり、四方の壁際には衣装箱が並べられていた。出窓には武具がところ狭しとおかれ、壁の鉤から衣類がさがっている。

「小姓が衣装部屋で寝ているので、」イウェインは、部屋の隅のカーテンの仕切りをあごでしゃくった。その奥に小部屋がある。「いろいろな物を部屋のなかに広げなければならんのだ」イウェインは衣装箱の蓋をあけて中身をかきまわしていたが、首をかしげると別の箱を開いた。「おまえのものは、この部屋のどこかにあるんだがな。おまえが宮廷を離れてから、ギャレスがずっと荷馬車にのせてもって歩いていたんだ。ああ――」イウェインは三番目の衣装箱を開いたまま、振りむいた。「これだ」

ガウェインは戸口に立っていた。少年のころから、いとこと同じくらいここで過ごしてきたのに、ガウェインはそこに立った瞬間、慣れ親しんでいるはずの物が少し記憶とちがっているような奇妙な感じを味わった。

「ありがとう」ガウェインはイウェインにこたえた。

イウェインは部屋を横切って暖炉のほうへいくと、そばの椅子にかけてあったタイツとシャツをとって、床に落とした。が、シャツがギャレスのものだと気づくと、そのシャツを床から拾いあげて、小さいほうのベッドの上に投げた。

「さあ、かけろよ」イウェインはガウェインをまじまじと見て、信じられないといった顔をしてからにやりと笑った。「やれやれ、たいした見ものだな！　ひげ剃り用の湯をもってこさせよう」

ガウェインはいわれるままにすわると、あごひげに触れた。「ひげをたくわえようかと思っていたのだが」

「絶対にやめたほうがいい」イウェインはいった。「今はまずい。ご婦人方に好感をもたれなくなるぞ」

「それがそんなに大事なことか？」

「もちろんだ」イウェインは皮肉な笑みを浮かべると、暖炉をはさんで反対側の腰掛けにすわった。「なにしろ一年という長いあいだだからな。ご婦人はみな、グドルーン嬢には飽き飽きしてしまって、今はおまえの味方をしたいと思ってる。今年のはじめにはあの娘も物珍しい存在だったが、一年ここにいて、そのあいだに子どもも生まれなければ、体が衰えていくようすもない。ご婦人方があの娘に興味を失ったのも、当然の成りゆきだろう。それにひきかえ、おまえは、賢明にも人々の前から姿を消していた。それで、〈ガウェイン卿は宮廷から追われて、気の毒に……〉と思われている」イウェインは肩をすくめた。「おまえは十一か月目に現れた。疲れはて、やつれた姿だが、自分の運命と向きあう覚悟で堂々とやってきた……友よ、一年まえに好意をもたれなかったとしても、明日の朝はちがう！　ただし、そのあごひげを剃れば、ということだが。やつれた、それでいてむさくるしくないおまえの姿が好意をもたれるんだ。女性の目こそ重要だ！　どんなことであれ、その結果女たちが自分の処刑に賛成するだろうとわかっていることをわざわざする男がどこにいる？」

ガウェインはうんざりだというような顔つきをした。「おまえの話をきいていると、わたしが罪を犯したかどうかはどうでもいいことだというようにきこえる」

「そのとおりさ、ご婦人方にとってはな」イウェインは皮肉をこめていった。「あの連中にとって重要なことは、ハンサムな主人公のどきどきするような物語だけさ。まったくもって愚かなことだ。だが、今回は、それが我々に有利にはたらく。そのことに感謝しなければな」

イウェインは軽蔑しきった口調でいった。しかし、その言葉をきいてガウェインはふと思った。ほんとうにイウェインの女嫌いはこれほど根深いのだろうか、それとも、女嫌いというポーズをとることが気にいっているのだろうか？

イウェインが立ちあがった。「おい、おれは国王のおそばにいかなければならん。おまえがもどったことをお伝えしておくよ。それから、だれかに湯をもってくるようにいいつけておこう」

いとこが部屋を出たあとも、ガウェインはそのまま二、三分暖炉のそばにすわっていた。そのとき、自分の兜と鎧と鎖かたびらがきれいに磨かれて、部屋の隅の鎧掛けにかけられていることに気づいた。これもまた、ギャレスがしておいてくれたことだろう。しばらくして、なにかをしなくてはと思った。が、しなければという気持ちより疲労感のほうが強かった。体が温まって、疲労が体じゅうに広がっていたのだ。

やがて、ガウェインはようやく立ちあがると、蓋の開いた衣装箱のところへいったが、そうするのに強大な意志の力が必要だった。なかの服をひっくり返しながら驚いたことには、もっていたことなどまるで思い出せないような衣類もあった。しかし、階段をのぼってくる足音がきこえてきたときには、黒のヴェルヴェットの短い上着とその下に着る緋色のキルティングの胴着を選びおえていた。だれかが扉の前でつまずいたようだ。水がこぼれるような音とぶつぶついう小声がきこえてきた。それから、扉になにかがあたる音がした。だれかが肩で扉を押しあけようとしているらしい。ガウェインが扉を開くと、パーシヴァルが両腕に一枚ずつタオルをかけ、大きな洗面用の鉢と湯の入った水差しを今にも落としそうにしていた。丸く、あどけない顔は、必死になっているため険しい表情をしている。

「イウェインがこれを届ける者を探しているところに出くわしたんだ。それで僕がもっていくといったんだけど」パーシヴァルがいった。どこかに鉢をおくところはないかと躍起になって探しているうちに、さらに湯をこぼした。

ガウェインはパーシヴァルから鉢と水差しを受けとって、暖炉のそばの腰掛けの上においた。

「ありがとう」パーシヴァルはぎこちなく笑った。「よかった、また会えてうれしいよ」

一方のタオルの隅がぬれていた。パーシヴァルはいくらかでも乾かそうとタオルをしぼると、もう一枚といっしょに所在なげに振りまわした。タオルをどうしたらいいのかわからないといったふうだ。ガウェインはタオルも受けとってやり、椅子の背にかけた。パーシヴァルはほっとため息をついた。肉体や魂にどれほど優れたものを与えられていようとも（実際、パーシヴァルには卓越した資質がいくつかあった）、日常生活のごくふつうの活動では、これ以上不器用な人間はめったにいない。いったいどうしたらそんなことができるのか、邪魔になってもいないものにつまずいて倒れ、触れたか触れないかのうちにものを壊してしまう。しかも、肉体的な不器用さと同じくらい、道徳的な面でも不器用だった。たとえば、嘘も方便ということがどうしてもわからないのだ。

パーシヴァルは衣装箱のひとつに腰をおろそうとして、上にのっていた銀の酒杯をひっくり返した。驚いて、なにが起こったのか見ようと振り返ったとき、片足が腰掛けに触れ、のっていた水差しが揺れる。ガウェインは水差しをおさえると、腰掛けをパーシヴァルの届かないところまで引っぱっていった。

「パーシー、頼むよ、じっとすわっててくれないか。でないと、部屋がめちゃくちゃになる！」

パーシヴァルはガウェインに向かってほほえむと、さきほどと同じ言葉を繰り返した。「ほんとうによかったよ、また会えて！」

ガウェインは笑いだした。「その性格を大事にしろよ。ところで、イウェインはかみそりをどこにしまっているのだろう？」パーシヴァルがやってきて空気をかきたててくれたおかげで、ガウェインの無気力がふきとんだ。

「鏡といっしょに衣装部屋においてあったと思うけど。でも、今は小姓が――ちがった、ベッドの脇のテーブルの上だ」パーシヴァルがこたえた。

ふだんはイウェインの衣装部屋にかけてある、金属を磨きあげて作った細長い鏡は、テーブルの上にたてかけてあった。革のかみそりケースがその前にある。

「石けんはあるかい?」

パーシヴァルは一瞬心配そうなようすをしたが、ベルトにつけた袋を探ると、黄色い石けんを取りだした。

「そうだ、ここだった!」まるで思い出せたことが驚きだとでもいうようだ。「僕がひげをあたろうか?」

「とんでもない!」ガウェインは恐ろしそうにいった。「明日、わたしは敵に首をとられるかもしれない。しかし、今日、友に喉をかき切られるのはごめんだ!」

「それはないよ」パーシヴァルは顔を赤らめながら、抗議した。「そんなに不器用じゃないさ。いずれにせよ、明日のことは心配いらないよ」

ガウェインは、鉢に湯を注いでいる手を止めた。パーシヴァルはひどく自信ありげな口ぶりだった。

「どういうことだ? グドルーンが訴えを取りさげたのか? イウェインからはなにもきいていないが」

「まだだよ」パーシヴァルはガウェインに石けんを手渡した。「だけど、最後までがんばりとおしたりしないだろうな。すぐにわかるよ」

「どうして、取りさげると思う？」ガウェインは鉢を鏡の前へもっていくと、鏡に映った姿を見て顔をしかめた。ひげが不ぞろいに伸びていて、がっかりした。もっと気品あるひげを思い描いていたのだ。

「そうだな……」パーシヴァルは、いくらかどぎまぎしたような声でこたえた。

ガウェインはいったいどうしたのかと振りむいた。

「その、あの娘とちょっと話をしたんだ」パーシヴァルはあわてていった。

「なるほど」ガウェインは注意深くいいながら、かみそりの刃を調べた。「どんな話だい？」

パーシヴァルは片方の膝を引きよせると、かかとを衣装箱の端にかけた。驚いたことになにひとつ蹴とばさなかった。引きよせた足を両腕で抱きかかえたとき、上着の右の脇の下で縫い目がほころびた。パーシヴァルはおずおずと話しはじめた。

「あの娘に、きみのしていることは十戒の第九の戒めを犯しているといったんだ。虚偽の証言をしているんだからね。それから、乙女にとっては、よい評判こそなによりの宝だとも――」パーシヴァルの声は徐々に自信にあふれてきた。「――多くの気高い乙女たちが純潔を失うよりは死を選んだということを思い出すべきだ。だから、失ってもいないのに、失ったなどというのは愚かなことだ。だれかに死をもたらすようなことを企むことは人殺しに等しいのだから、もうひとつの戒めを犯すことになる、そう話したんだ。簡単にいえば、もしきみが今ふいに死ぬようなことがあれば、地獄に落ちるだろうって、いったのさ」

ガウェインはパーシヴァルを見つめた。「それで、あの娘はなんといった?」

パーシヴァルの口ぶりでは、まるでグドルーンがおとなしく話をきいていたみたいだが、あのグドルーンが穏やかにその話を受けいれたなどとは、とても考えられなかった。

「ではどうすればいいのかとあの娘がたずねたので、嘘をついていたことを告白すべきだとこたえた。すると、あの娘が、告白したら殺されるのではないかとたずねたので、母の修道院に入りたいと頼めば殺されないだろうとこたえた。実際、僕はこういったんだ、いずれにせよ、修道女になることはほとんどきみの義務だといっていいだろう、と」

「で、あの娘は同意したのか?」ガウェインは、あからさまに疑わしげな表情を見せた。

「まだ、はっきりとは」パーシヴァルが考えこむようにいった。「でも、あの娘は今までこういうことをきちんと考えたことがなかったんだと思う。いざというときになれば、自分の魂にとってどれほど恐ろしいことをしようとしているのか、気づくにちがいないさ」

「ああ」ガウェインがこたえた。「そうだろうな」ガウェインは鏡のほうへ向きなおって、不ぞろいなあごひげに石けんをぬりはじめた。グドルーンの魂なんかくそくらえ、わたしの首はどうなる、ガウェインはそういってやりたかった。が、パーシヴァルにショックを与えたくはなかったので、いわずにおいた。

「あの娘は根っからの悪女というわけでもないんだ」パーシヴァルは、いくらか手間どりつつも腕から足を引きぬくと、立ちあがった。「ほかにいるものは?」

ガウェインは首を横に振った。パーシヴァルは扉のそばで少し足を止めて、いった。「よし。じゃあ、夕食のときに」

パーシヴァルのうしろで扉が閉じた。階段を降りていく足音がきこえる。最初の二段はうまく降りたが、三段目でつまずいたような物音がし、つづいて体勢を立てなおしてまた降りはじめたような音がした。その後は災難にも遭わず、下まで降りたようだ。あれほど不器用だったら、立ち直るのもうまくなるだろう。でなければ、とてもおとなになるまで生きのびられはしない、とガウェインは思った。

ガウェインはひげそりをつづけながら、グドルーンはいくらかでもパーシヴァルの説教に関心をもったろうかと考えた。いいや、もたなかったろう。あの娘が自分の作り話にさらに固執するようなことがあるとすれば、まちがいなくそれは、とるべき道は女子修道院に入ることしかないといわれたためだ。とはいうものの、パーシヴァルの話をきいていると、あの娘、少なくとも、いくらかは礼儀をわきまえるようになったらしい。なにしろ、パーシヴァルを侮辱したり、誘惑しようとしたりはしなかったらしいからな。それとも、したのだろうか？　かわいそうなパーシーは、いずれの場合にも、あの娘がどういうつもりなのかさっぱりわからなかったろう。

ガウェインが洗顔を終え、さらに服を選びだしているところへ、弟のガヘリスが入ってきた。ガウェインはタイツを手にしたまま、顔をあげた。「確かに黒い靴があったはずなのだが。だれかがもっていったのだろうか？」

「たぶん」ガヘリスがこたえた。「しかし、それをはくつもりなら、靴はいらない。そのタイツの足の裏には、靴代わりの底がついてるからな」

ガウェインはタイツを見て、顔をしかめた。「ほんとうだ」

ガヘリスは小さいほうのベッドにゆったり横になると、ガウェインを見て笑った。「かわいそうな兄さん！　文明人がどんな服装をするのかさえ忘れてしまったとは！　兄さんが到着したときに、近くにいられたらよかったな――きっと森から出てきた野人みたいだったろう」

猫のような目をした、毛むくじゃらの大男の姿がふいに頭に浮かんだ。ガウェインはほほえむと、頭を振った。

「長い間、鏡と呼べるようなものを見ていなかったのだ」ガウェインはタイツに足を入れると、引きあげた。

「いったい、どこにいたんだい？　どんな噂話がとびかっていたか、信じられないだろうな」

「想像はつくさ」ガウェインが渋い顔をした。「ガウェインは、審判に直面する勇気がなくてどこかへ姿をくらました、というようなことだろう」

ガヘリスはにやりと笑った。

「たとえ、だれかがそのようなことをいったとしても、オークニー一族の耳に入れるやつがいると思うかい？　ちがうな――」ガヘリスは背中にクッションをあてがって、楽な姿勢をとった。「耳にした話はどれももっと刺激的で、教訓的なものだったよ。兄さんが竜に食べられたとか、妖精にさらわれたとか、人食い鬼に監禁されているとか――いないあいだにどれほど人々を楽しませてくれたことか、兄さんにはわからないだろうな。大方の意見では、どういうふうにかはわからないが、兄さんがロマンティックな死に方をしたということになってる。宮廷は喪に服すべきだといいだす者が大勢いたんだ！」

「わたしが元気な姿を現したら、人々はがっかりするわけだな」ガウェインがいった。

「兄さんには、粋という感覚がないからな。少なくとも追悼式が終わるまで待つということだってできたんだ。いったんみんなを心ゆくまで満足させたら、連中はそのあと兄さんがもどってこようがもどってこまいが気にかけやしないさ」ガヘリスはまっすぐに体を起こすと、足を組んだ。「実際は、そんなふうに芝居がかったことを考えるなんて、おかしな話なんだが。なにしろ、兄さんは無事だという権威ある予言があったのだからな」

ガウェインは留めひもでタイツを胴着に結びつけていたが、ガヘリスのほうへ顔を向けた。「いったいだれの予言だ？」

「エレイン叔母さ。何か月も兄さんの消息がわからないものだから、パーシーは兄さんがウェールズにもどっているかもしれないと、自分の母親、つまりエレイン叔母のところへ飛んでいったんだ。もっとも、わたし個人としては、兄さんはもう修道女たちにうんざりしているだろうと思っていたが、なにしろ我らがパーシーは人間の良き本性を信じて疑わないからな。ともかく、パーシーが兄さんのことをたずねはじめたとたん、エレイン叔母はコーンウォール語で話しだして、なにやら奇妙なことを延々と語った――兄さんがどのくらい遠くまでいかなければならないか、どのような危険を克服しなければならないか、というようなことだ」

「危険になど遭わなかったが」ガウェインはまた、ひもを結びはじめた。

「ああ、エレイン叔母がいったことは、さっぱりわからんね」ガヘリスは軽蔑したように手を振った。「その点に関してはパーシーも同じで、なにもわからなかったようだ。というのも、エレイン叔母が予言を終えたとき、パーシーは『あの、ところで、ガウェインは大丈夫でしょうか?』とたずねたんだ。それで、エレイン叔母はまたコーンウォール語でなにやら唱えて、パーシーにいった。兄さんがこの世にいるなら、まちがいなく年が明けた日に姿を見せるだろうと。それでは目新しい知らせとはいえない、というようなことをパーシーはいったらしい——生きていればガウェインがここにくるだろうってことくらいだれにだってわかってる、問題は〈ガウェインは生きているのか?〉ということだといったんだ。そういわれて、エレイン叔母は少々気を悪くした。そして、あなたはわたしの才能がどのようなものかわかっていないのです、わたしのことを市がたったときに見かける占いばあさんと同じだと思っているのですか、といった。そんな具合だったが、叔母の予言は兄さんの無事を示しているのだろうと我々は考えた。もっとも、兄さんはぎりぎりのところでまにあったといわなければならないだろうが。実は、不安になりかけていた……」

「すまん。そのような騒ぎを引きおこすことになろうとは思わなかったのだ」

ガウェインは、黒い上着にブラシをかけはじめた。弟はそれを見あげて、ため息をついた。「これがほかのやつだったら、慎み深さを装った不愉快きわまる態度にちがいないが、兄さんの場合にはほんとうの慎み深さだと思うべきだろうな。だが、驚くなよ、あまり好意的でない知人のなかには、兄さんが効果をねらって姿を隠していたという者もいる。気にすることはないさ。重要なことは、兄さんが無事だということなんだから」

「今のところはな」

「なんだって?」ガヘリスが顔をしかめた。「なにも心配することはないと思うがな。グドルーンは訴えを取りさげるだろう」パーシヴァルよりさらに自信に満ちた口調だ。

「ああ、パーシヴァルがあの娘に説教してくれたらしいが」ガウェインは疑わしげにいった。「あまり期待できそうにない気がする」

「パーシヴァルが?」ガヘリスが声をあげた。「あのばかが! わたしに任せておけといったのに!」ガヘリスは自分の髪をつかんで、絶望的だといわんばかりに頭を振った。「せっかくうまくことを運んだというのに。とにかく、あいつが台なしにしなかったことを願うしかないな」

「うまくことを運んだというのは、どういうことだ?」ガウェインは不安になってたずねた。グドルーンが自分に対する訴えを繰り返すばかりか、弟に対する訴えまで起こしているようすが目に浮かんだ。

「わかるだろう」ガヘリスはあいまいに両手を振った。「おしゃべりをしたり、あちらこちらへ連れていったり――我々のことを友人だと感じるようにいろいろ努力したのさ。兄さんがいったようにな。あの娘も、いろいろな宮廷の作法を教えてくれたり、もっと魅力的に見えるよう手を貸してくれたりする人間がいたら、うれしいだろうと思ったのさ。あの娘、ずいぶんあかぬけたぞ」

「その努力が実って、あの娘は訴えを取りさげるだろうというのか?」パーシヴァルのもくろみよりはいくらか見こみがありそうだったが、ガウェインはまだあまり多くの期待をかけないようにした。

「もちろん、そうさ。宮廷に自分の居場所ができたというのに、わざわざ兄さんの命を奪ってこの世でいちばん嫌われものの女になると思うかい？」確かに、筋は通っている。ガヘリスはベッドから飛びおりた。「いかなくては。約束があるんだ」

ガウェインはほほえんだ。「ご婦人との約束だろ、もちろん？」

驚いたことに、ガヘリスはどぎまぎしている。「その——まあな。ご婦人とだ」

「わたしの知っている人か？」ガウェインは興味をおぼえた。いつになく弟の口が重かったからだ。

「ええと、そうだ」ガヘリスは天井を見あげ、咳ばらいをすると、歩いていって暖炉の火をかきたててから、いいそえた。「相手というのは——その——ブロンシュフラーさ」

「ブロンシュフラー？」ガウェインはぽかんとして、ききかえした。

ガヘリスにしてみれば、思いきってかなり重大な告白をしたというのに、明らかに失敗に終わったようだ。ガウェインはなんの反応も示さない。「ああ、ブロンシュフラーだ！　ほら——ウルフィン伯爵の娘さ」

「ウルフィン伯爵の娘？」ガウェインはききかえした。「ブロンシュ——」

「兄さん、いいかげんにしてくれよ！」ガヘリスがいらいらといった。「頭がおかしくなっちまったんじゃないだろうな？　ウルフィン伯爵だよ——ほら、ウェールズとの境に城があるじゃないか。春に兄さんが訪ねた一家だよ！」

「だれのことかは、わかっている。ただ、あの娘の名前がブロンシュフラーだということを忘れていた。いつもデイジーと呼んでいたじゃないか」ガウェインがいった。

「デイジー！」ガヘリスはうんざりしたような声をあげた。「兄さんはそう呼んでただろうさ！」

「おまえもそう呼んでいたじゃないか。ブロンシュフラーというのは白い花のことだから、デイジーだ、などといって……」ガウェインは思い出させようとしていった。「おまえのいっているのがあの娘のことだなどと、わかるわけがないさ。あの娘がおまえの好みだとは思ってもみなかったからな」

「デイジーだの、わたし好みじゃないだのと、よくいってくれるよ！」ガヘリスは、どのような口調でいったものか決めかねているようだった。それで、憤慨しているような口調だったり、あきれているような口調になったりした。「もちろん」ガヘリスは憂鬱そうにいいたした。「あの人にしてみれば、わたしなど好みじゃないだろう。わたしの言葉を本気にしてくれないんだ」

ガウェインは鏡のほうに向きなおった。身なりを整えるためというよりは、おかしがっていることを悟られまいとしてだ。ほかのありとあらゆる恋を経験したガヘリスは、今回珍しく、片思いの恋というやつをためしているらしい。ガウェインは、ヴェルヴェットの上着に高い襟をつけ、たっぷりとした袖を折りかえした。

「それでは、彼女を待たせないほうがいい。わたしが愛をこめて挨拶の言葉を贈っていると伝えてくれ」ガウェインがいった。

弟は怪しむような目つきで兄を見た。

「ほんの冗談だ」ガウェインはあわてていいたした。

ガヘリスの足音が階段を降りていく。そのとき、別のだれかがあがってくる音がきこえてきた。石造りのらせん階段のせいで、ガヘリスともうひとりの男の話し声はいつもとちがってきこえたが、ガウェインにはもう一方がすぐ下の弟のアグラヴェインだとわかった――一族の者たちは、わたしとふたりきりで話ができるようにあらかじめ時間を取りきめているかのようだ。請願者の訪問を受けている国王のような気もすれば、一度にひとりずつしか面会が許されない病人のような気もする。

アグラヴェインは、喜びで顔を輝かせながら入ってきた。恐ろしげな赤褐色のほおひげがあごのまわりでゆらゆら揺れて、大きく開いてほほえんでいる口をいっそう際だたせている。どうやらご婦人方を喜ばせることなど気にかけていないらしい。

「やあ、兄貴、無事でなにより！」アグラヴェインは頭を振ると、兄の手を握った。「ここ何か月かひどく心配したよ……」

ガウェインは、弟が心から喜んでいるのを見て驚いた。これまでふたりのあいだに特別深い愛情があったようには思えなかった。それに、アグラヴェインは、個々の家族というより一族の名誉を守ることに深く心を傾けているものと思っていた。弟がありのままに喜びを表しているのを見て、ガウェインは誤解していたことを恥じ、いっそう心をこめて言葉を返した。

しかし、アグラヴェインはすぐに身を引くと、いつものいかめしい物腰にもどった。アグラヴェインのしかめ面は父がいつも見せていた表情にそっくりだ。容姿についていえば、アグラヴェインはいちばん父に似ていなかった。容姿以外のことで自分を父に似せるよう努めているのはそのためだろうか。もっと早くこのことに気づいていればよかった、とガウェインは思った。

「長話をして、邪魔をする気はない」アグラヴェインはきびきびといった。「だが、おれがあのグドルーンとかいう娘に会ったことを話しておいたほうがよかろうと思ってな。もう、あの娘に悩まされることはないだろう」

「ほんとうか？」ガウェインは不安そうにいった。国王の甥たちからこれほど注意を向けられれば、どのような若い娘でも喜ぶにちがいない。しかし、ガウェインの心は沈んだ。「どのようにして、あの娘に取りいったのだ？」

「取りいる？」アグラヴェインは軽蔑したようにいうと、ぐいとベルトをもちあげた。「〈取りいる〉つもりなど、はなっからない。ただ、いってやっただけだ——明日、真実を語らなかったら、おまえの首をはねてやる！　とな」

ガウェインは笑うしかなかった。が、アグラヴェインが今にも怒りだしそうになるのを見ると、口をつぐんで、弟の腕をとった。

「背後を守ってくれる一族がいるというのはいいものだよ」ガウェインはいった。

「ほう！」アグラヴェインは疑わしげにいった。「だれだって、自分にできることを精一杯するしかないじゃないか」

アグラヴェインが出ていったあと、ガウェインは暖炉のそばの椅子にかけると、自分がおかれている状況についてじっくりと考えてみた。一族の者たちが自分のためにしてくれた努力が互いにその効果を帳消しにしあったとしても、自分の状況が今より悪くなるということはないだろう。だが、弟たちから脅されたりへつらわれたりした結果、グドルーンが反感を抱くようになるということも考えられる。ギャレスがゲラートをつれて入ってきたとき、ガウェインはまださまざまな可能性についてあれこれ考えていた。犬は主人の服のにおいをかいだが、それほど興味がなかったのか、すぐに暖炉の前で長々と横になった。

「満腹らしいな」ガウェインはつま先で犬をつつきながらいった。

ゲラートは寝返りを打って、あくびをした。

「なにか食べる？」ギャレスがたずねた。

「いや、夕食まで待てるよ」ガウェインは犬を押しやると、暖炉の反対側の腰掛けを自分のほうへ寄せた。「こちらにきて、話してくれないか。わたしを自由の身にするために、なんといってグドルーンを説得したんだい？」

ギャレスは恥じいってこたえた。「すまない。そんなこと、思いつきもしなかったよ」

「ありがたい。一族のなかでなにがしかの分別があるのはおまえだけのようだ。さあ、ここにかけて」

ギャレスは腰掛けにすわった。

「もちろん、グドルーンとはときおり話をしたよ」ギャレスはいった。「ことに、ここ何週間かはね。最初のころは、みんな、グドルーンをちやほやしていたけど、最近は冷たくなっていたんだ。それで、少し元気づけてやったほうがいいと思ってね」

「ギャレス、万が一、一族全員の名が汚されて、オークニーの名前が不名誉の代名詞になるようなことがあったとしても、おまえが中傷されることだけはないだろう」

「僕がなにをしたというんだい？」ギャレスは驚いて、たずねた。

「ただ、ありのままの自分でいただけさ。おそらく我々のうちでそれができるのはおまえだけだ」

兄と弟は黙ったままましばらく火を見つめていた。

「島で過ごしたあの夏のことを覚えてる？」ふいにギャレスがいった。

ガウェインは不思議そうにギャレスを見た。「あのときのことはほとんど覚えていないかと思ったよ。おまえはまだ小さかったからな」

「四歳――それとも五歳だったかな。かなりよく覚えてるよ。毎朝早く、海鳥が鳴いているのがきこえたし、いつも海と風に囲まれていた」ギャレスは身をのりだして膝に両肘をつくと、炎を見つめた。「アグラヴェイン兄さんが兄弟全員を集めて、これからはガウェイン兄さんが家長なのだからと、ガウェイン兄さんに忠誠を誓わせたときのことも覚えている」

ガウェインもそのときのことはよく覚えていた。アグラヴェインはとても真剣だった。そして、自分自身はといえば、困ったような、恐ろしいような気がしていた。というのも、そのときまで、父親が亡くなって自分が一族の長になったのだということがよくわかっていなかったからだ。しかし、アグラヴェインはいつもそういったことをよく心得ていた。

「ギャレス、ここでひとつ約束してもらいたいことがあるのだが」ガウェインがいった。

ギャレスはいぶかるように顔をあげた。「僕にできることなら。どんな約束？」

「明日、事態が悪い方向へ進んだら――」

「そんなことにはならないさ」ギャレスは急いで口をはさんだ。

「そういいきることはできないように思う。それで、おまえに誓ってほしいのだ。たとえ国王がわたしをグリムに引き渡すことになっても、今までどおり国王を支持すること、そして、ほかの兄弟を説得して同じようにさせること。さあ、早く！」

ガウェインは両手を差しだした。そんな必要はないといいながらも、ギャレスはしぶしぶガウェインの足元にひざまずいた。それから、両手を兄の手の間にはさんで、オークニーの総領のいうとおりに誓った。ガウェインはほっとため息をついた。

「僕にできることといったらそのくらいだ」ギャレスはまた腰掛けにすわり、膝に肘をついた。

「元気を出せ！　ただ念のためだ。おい、だれもわたしがいなかったあいだのことを話してくれなかったが、ええと、……」ライオネス嬢はなんと呼ばれるのが好きだったろうか、ガウェインは思い出そうとした。「レイオニーは元気かい？」

「リアン」ギャレスはぼんやりと訂正した。「ああ、元気だよ」

ガウェインはなおも話をつづけようとした。「ガヘリスがデイジーに抱きはじめた情熱をどう思う？」

ガウェインは、心配をかけまいと明るくふるまっている。ギャレスは気持ちを奮いおこして、兄にあわせようとした。

「どうということはないさ。もっとすごい話がある。パーシヴァルがついに世俗の愛に目覚めたんだ。この何か月か、あいつは、目にする女性すべてに恋している。あんなふうに見境いなく恋するやつなんか見たことがないよ」ギャレスはにやりとした。「次の候補者はアンガラッド・ゴールデンハンドだと思うな」

「アンガラッド！」ガウェインは声をあげた。「あの娘ときたらロジアンの海岸沖にある岩山――ほら、バスロックさ――、あれみたいに冷たくて、温かみのない女じゃないか。だれだって知っていることだ！」

「パーシヴァルは本気だ――あるいは、自分でそう思いこんでいるということかな――」ギャレスは言葉をきって、頭をあげた。

階段をあがってくるブーツの音がきこえてきた。金属が壁にこすれるような音もする。

「いったいなにが始まったんだ？」ガウェインがいった。

ギャレスが立ちあがった。が、ギャレスがこたえるより早く、扉が勢いよく開き、ケイが入ってきた。そのうしろにベドウィアがつづいている。ガウェインはほっとして笑うと、立ちあがってふたりに挨拶の言葉をかけた。「ケイ！　ベドウィア！　いったいなにごとかと思いましたよ！」

しかし、ギャレスは暖炉のそばで体をこわばらせたまま不安そうにしていた。

笑顔のガウェインに向けられたケイの顔には、笑みが浮かんでいなかった。

「ガウェイン卿」ケイはいった。「国王の名においておまえを捕らえるよう命じられてきた」

「ばかな！　わたしは自らすすんでここへきたのだ——逃げるわけがないではないか！」ガウェインは一瞬、ケイのいつものきつい冗談にちがいないと思った。が、そのとき、見張りの男たちが階段で待機しているのが見えた。

「命令を受けているのだ」ケイがいった。なにかひどいことをいってしまいそうでこれ以上なにもいえないといった表情をしている。

ガウェインは肩をすくめた。「わかった。どこへ連れていかれるのだ？」

「主塔がよかろう」ベドウィアがいった。

「でも、なぜ？」ギャレスが叫んだ。

ケイは硬い表情をくずさず、黙っている。ベドウィアがこたえた。「グリムがガウェインを監視するよう要求したのだ。明日、まちがいなくガウェインが姿を現すようにとな」

「そういうことを決めるのは国王じゃありませんか」ギャレスは怒りくるって、くいさがった。

「もちろん」ベドウィアは辛抱強い態度を変えることなくこたえた。「しかし、もし国王がグリムの要求を退けたら——」

「ええ、わかっていますとも！」ギャレスは怒りのあまり泣きださんばかりになっていた。「国王が要求を退けたら、あのブタ野郎はここぞとばかりに、国王は甥をひいきしているといいたてる。それで、あなたたちは兄さんをどこか汚らしい穴蔵に放りこもうとしているというわけだ！」

「少しちがうな」ベドウィアがかすかに笑みをもらした。「わたしは今夜の見張り番の隊長をかってでた。

はないぞ」

だから、主塔の隊長の部屋でもてなすことができる。確かに魅力的な部屋とはいいがたいが、汚らしく

ギャレスがさらに言葉を返そうとしたとき、ガウェインがギャレスの腕をとり、鋭い声でいった。「静かに、ギャレス」階段の下のほうから怒りくるった声がきこえてきたのだ――アグラヴェインだ。ガウェインはギャレスにいった。「落ち着くんだ! よく考えてみろ! どのような噂が広まると思う? ケイ卿とベドウィア卿がガウェイン卿を捕らえにいって、弟たちに襲われた……そんな噂がたってみろ。国王の命にそむいた反逆罪で我々がとがめられることになれば、予定どおりに裁きをすすめるよりグリムにとっては都合がよくなる」

ガウェインは急いで戸口へいくと、階段の下に向かって声をかけた。「アグラヴェイン!」

「ここだ!」アグラヴェインが下から叫んだ。

「いるなら、あがってこい!」ガウェインがいった。

階段で待機していた六人ばかりの男たちが、どうしたものかと顔を見あわせている。ケイが手を振って道をあけるよう指図すると、男たちはおずおずと壁際にあとずさった。アグラヴェインは抜き身の剣を手に、狭い階段の中央をあがってきた。アグラヴェインが上まであがってくると、ガウェインがいった。

「そいつを収めろ。このようなつまらぬことで破滅に追いこまれたくはないからな」

「どういう意味だ?」アグラヴェインは憤慨しながら、わけがわからないといったふうにたずねた。

「わたしに着せられたばかげたぬれぎぬについては、潔白を証明することができるかもしれない。だが、

もしおまえがケイやベドウィアを殺そうとしたら、我々は窮地に陥り、だれひとりとしてそこから抜けだすことができなくなる。そういう意味だ！」ガウェインがいらいらといった。「武勇伝はいらない、わかったか？　今も、明日も。ギャレスとここにいろ」それから、口調を和らげてつづけた。「おまえが思っているほど悪い状況ではないさ」一瞬、さきほどふたりきりで話したときのアグラヴェインのようすを思い出して、胸が痛んだ。自分では兄を助けているつもりだった弟が見せた傷ついた表情。ガウェインはアグラヴェインの肩をつかむと、安心させるよう無理に笑みを浮かべた。それから、ベドウィアとケイのほうを向いた。「やじ馬が集まってくるまえにいきましょうか？」

隊長の部屋は、見張り番の詰め所の上にあった。小さな部屋のなかに狭いベッドがふたつあり、ガウェインはその一方にすわって、疲れた顔であたりを見まわした。手の古傷が痛む。最近、フローレイからもらった油を塗りわすれていたせいだ。おそらく、今となってはどうでもよいことだろうが。ふいに、恐ろしい考えが理性を圧倒した。こうして狭い壁のなかに閉じこめられて、残された人生を費やすのだ。今は、元気なふりをすることさえできない。

「いったとおり、魅力的な部屋とはいえぬが」ベドウィアがいった。「まあ快適に過ごすことはできるだろう――ひとつのベッドに三、四人で寝なければならぬ人々に比べれば、ずっと快適だ。それに、暖炉がある！　領主ウリエンは、家臣が相応に快適な暮らしをすることを認めているのだ。我々の夕食は今にも届くはずだ」ベドウィアは暖炉の前に立つと、〈さあ、くつろいでくれ〉というように両手を広げた。

「このようなことは許されているのですか?」ガウェインがたずねた。

「任務につくにあたって与えられた条件は、そなたを監視下におくということだけだ。ほかにはなにもない」ベドウィアがこたえた。「ケイは、イウェインの塔の下に二、三の見張りの者を配置するだけでいいといったのだが、このようにしたほうが起こりにくいと思って——」ベドウィアはためらった。「その、衝突が——といってよいかな? グリムのもくろみについて、そなたのいったことは正しかったと思う」

ベドウィアはガウェインを見つめた。「そなたの顔つきときたら……」

「恐ろしくてたまらないのです」ガウェインは下を向いて、顔をしかめた。「少なくとも二度、自分自身を見失いかけました——人知れず姿を消すこともできたのに、このようにもどってきて、おそらく自分ではすばらしい英雄気どりだったのでしょう。ところが今は、もしあの扉から外へ出ることができたら……」

「そなたが外へ出ても、止める者などいないだろう」ベドウィアは思いやり深い口調でいった。

ガウェインはベドウィアを見あげた。「わたしを軽蔑なさっているでしょうね」

「どうして軽蔑などできよう?」ベドウィアは目を大きく見ひらいた。「わたしとて同じ立場に立たされたら、なにをするかわからん。いいや、軽蔑などせんよ。ほんとうのところ、ほっとしている」

ガウェインは顔をしかめた。「ほっとしているですって?」

「そなたには恐れというものがないと思っていたのだ」ベドウィアがいった。「いつもそれが心配だった。かつて痛みを知らぬ少年がいたが、そなたを見ているとその少年のことが思い出されてな」

「痛みがわからないというのは、なかなか便利だったでしょうに」

ベドウィアは首を振った。「そのせいで死んでしまった。その少年は小さな怪我をした――ほんの小さな怪我だったが、ふつうの人間なら痛みを感じて治療をしたにちがいない。ところが、その少年は怪我に気づかなかった。傷がうんで、少年は死んだ。恐れを知らぬということも、同じように危険に思われたのだ」

「それでは、そのことについてはもう心配いりませんよ」ガウェインは苦笑を浮かべてみせようとした。

「確かに、わたしは恐れています――だから、ひどい顔つきをしているのでしょう」

「顔つき？」ベドウィアはもう一方のベッドに腰をおろした。「ああ、そうではない。わたしがいおうとしていたのは、まったくちがうことだ――まるで幻の山のなかで一夜を過ごした者のようだ、といいたかったのだ」

「あなたもですか！　イウェインは妖精の丘に迷いこんでいたのかというし、ガヘリスは妖精たちにさらわれていたのかというようなことをいう――まさかみんながそのようなことをいいあっていたわけではないでしょうね？」

ベドウィアは肩をすくめた。

「なにをしても、そなたは人々の関心の的だ。謎の失踪をしたとなると、人々は愚にもつかぬ話をするしかなくなるのさ」ベドウィアはほほえんだ。「さて、なにをしたい？　読書か？　チェスか？」

「いいえ。まず、わたしがいなかったあいだのことを話してください」ガウェインはいった。恐れていることを告白したために、かえって恐怖心を抑えられたようだ。

「そうだな、そなたがあのように立ちさらなければよかったと思っている」ベドウィアがいった。

「あのとき、いい考えだとおっしゃったではありませんか」ガウェインは思い出させるようにいった。

「だが、地表から消えてなくなれという意味ではなかった」

「うんざりしてしまったのです。なにもかもがひどく無意味に思われて。そのとき、森に入る道を見つけて、それをたどっていったのです」

ベドウィアは眉をあげた。「妖精の国へ通じる道を？」

「お願いですから、妖精のことは忘れてください」ガウェインはいらいらといったものの、はっとしたように言葉をきった。

「どうした？」ベドウィアはからかうのをやめようとしない。「やはり、ぱっくりと口をあけた丘のなかへ入っていったか？」

ガウェインはかぶりを振った。「なかではなく、上です。丘の上でマーリンと話したのです……」ガウェインはマーリンと話したときのことを——緑のとりでやサンザシの花のことを——話しはじめた。しかし、顔つきを見て、ベドウィアが心のなかでどう思っているか、気づいた。〈かわいそうに、ガウエインのやつ、よほど緊張がつづいていたにちがいない……〉ベドウィアはそう思っているのだ。ガウエインは話の残りをふた言、三言で片づけた。「だが、今お話ししたことは気になさらないでください。グリムが反乱を起こさせようとしてしきりに人々を煽りたてていましたが、その企みは成功しているのですか？」

ベドウィアはほっとしたような表情を浮かべた。「グリムの思っていたほどではないようだ。最初は、旧体制派のなかでも身分の高い連中が相当数、グリムを支持していた。しかし、その連中をグリムから引き離すのはそう難しいことではなかったよ。今はもう、我々に従おうとしない追いはぎ貴族の一部しか支持する者がいない。そうした連中も我々の手におえぬほどの数ではない。もし明日、国王が裁きの手続きを踏まずにそなたを無罪放免にしたとしても、有力者たちはみな、『もっと早くてもよかったものを』というだけで、非難などしないだろう」

「ただ、国王はそのようなことをするわけにいきません。国王たるもの、民の前で正当な裁きをおこなわなければなりませんから」ガウェインがいった。

「だが、正当な裁きをするほうがよい結果をもたらすといえるかどうか？　もし裁きの結果が悪いほうへでたら、オークニーとロジアンの一族は国王から離れるだろう――そして、それだけでは終わらない。そなたが自由の身になることを願うのは、もちろんそなたが大切な友であるからだが、それだけではない」

「ギャレスは国王から離れません――そう約束してくれました――、それに、パーシヴァルも国王から離れることはないでしょう。もっとも、わたしにはパーシヴァルに誓わせる権限はありませんが。あのふたりがほかの者たちを説得してくれるでしょう」

「ほんとうにそう思うのかね？」ベドウィアがそう思っていないことは明らかだった。「ガヘリスはそうするかもしれん——決断を自分自身に委ねられたらな。だが、アグラヴェインやイウェインはちがう。とすれば、いくさが始まるのは避けられないのではないか？　いいかね、アグラヴェインはそなたに代わってオークニーの総領——あるいは、彼が父君の称号を望むならオークニーの王——ということになるし、イウェインはレゲッドの跡継ぎだ」

「それに、父の死にまつわる一件もありますからね」ガウェインがゆっくりといった。「もしわたしの身になにか起これば、そのことがすぐにむしかえされるでしょう」アグラヴェインは子どものころ父親に強い愛慕の念を抱いていた。父の敵を恨んでいるにちがいない。そして、グリムは国王の勢力を分裂させようとしている。もし〈国王のせいで二度までも身内の者が死んだというのに、おまえたちは敵討ちもしないのか〉などとグリムがほのめかしたら、アグラヴェインはどのようにふるまうだろうか？

「そのとおりだ。完璧にアーサーの王国を崩壊させることになる」ベドウィアは、さらにつづけた。「かつてのいくさが再び繰り返される。コーンウォールと北方の連中がブリテンの王に立ちむかうということにな」

「コーンウォール！」ガウェインは驚いていった。「しかし、コーンウォールのカドール公は完全に国王の側の方ではありませんか！」

「忘れておられるようだな」ベドウィアが辛抱強くいった。「〈コーンウォールの一族〉というときに、カドール公ではなく、カドール公の母君イグレインとその娘たちのほう——つまり女系のほう——を指していう者が、まだかなりいる」

ガウェインはじっと考えこんでいたが、ふいにたずねた。

「モーガン叔母がどこにいるかご存じですか？」

ベドウィアは驚いた。

「それがどうかしたのかね？　あの魅惑的な、レゲッドの領主夫人モーガンは獄につながれているというわけではないが、もうはかりごとをすることはできまい」

「それはちがいます。グドルーンは、モーガン叔母がゴーム谷を訪ねてきたといっています。叔母とグリムが非常に親しいような口ぶりでした。そのうえ、ご存じのように、イウェインに対する叔母の独占欲は相当なものです。今回の企みも、国王や夫から息子を引きはなすためのものかもしれません。それに、叔母はわたしのことを快く思っていません」ガウェインがいった。

「確かに」今度は、ベドウィアが考えこむ番だった。「そうであれば、かつての争いのむしかえしということになるな」

「内輪の争いだけではすみますまい」ガウェインはさらにつづけた。「女系――それこそがすべての原因なのです。わたしは妹から奇妙な話をきき、それ以来ときおりそのことを考えているのです。それだけではありません、ほかにもいろいろと気にかかることがあるのです――それらがどのようにつながるのか説明できませんが、ともかくひとつにつながっているのです。それに、コーンウォールの女たちがなにを求めているのかは、わかっているつもりです」ガウェインは顔をしかめた。「あの女性たちは、代々女系があとを継いでいる一族の出です――領主の地位は常に領主の姉妹の息子に継承されてきたのです。カドール公の母君でありわたしの祖母にあたるイグレインは、ウーサーと結ばれ王妃になったとき、王位においてもそのような女系の継承を確立し、いずれは女系の男子を国王の座につけようと思っていたのでしょう──ウーサーの地位を息子が継承し、その地位を娘の息子が継承するといった具合に」

ガウェインはまた口をつぐんで、考えこんだ。「なにか古代の宗教とも関わりがあるにちがいない。というのも、祖母はマーリンが味方についてくれることを望んでいましたから。もっとも、マーリンはブリテンにとってなにがもっとも望ましいことか独自の考えをもっていたから、祖母が息子、つまりアーサー王に影響を及ぼすことができないようにしたのです。それで、祖母は息子アーサー王を亡き者にし、次の世代の継承者に期待をかけようと決めた──ただ、次の継承者についても、あの女性たちは不運だったが。なにしろ、次の世代の継承者というのはこのわたしで、わたしもあの女性たちに踊らされる気がないのですから」

「だが、あの連中がそなたを亡き者にしたところで、次の継承者はアグラヴェインだ。アグラヴェインがあの連中の思いどおりになるとは思えんが」ベドウィアがいった。

「確かに、アグラヴェインは母を嫌っています。が、あいつは〈一族の名誉〉を重んじていますからね。そこにつけこめば、ほとんど思いどおりにあいつを操ることができる──だれもが知っていることです。あるいは、モーガン叔母がイウェインを王位につけようとするかもしれない。叔母は、イウェインが叔母を心底憎んでいるということをなかなか信じようとしないだろうが。とはいえ、イウェインを王位につけるという考えは悪くないかもしれない。なにしろ、イウェインは、一族の女たちにうんざりしているから、彼女たちに操られることはないでしょう」

「しかし――そなたの母上はどうだ。母上が今回の陰謀に加わっているはずがないではないか？」ベドウィアは困りはてたというように両手を広げた。「そなたの母上が弟である国王にどのような気持ちを抱いているかはよくわかっているが、まさか――」ベドウィアはガウェインを見つめた。

「わたしが命を奪われたとしても、それを国王に対する反乱に利用できるのなら、母はたいして悲しみもしないでしょう」ガウェインはいった。

一瞬、冷え冷えとした沈黙がながれ、ベドウィアがベッドから勢いよく立ちあがった。

「このような話はもうたくさんだ。いったい我々の夕食はどうなっているのだ？」ベドウィアは戸口へいくと、下の見張り番に向かって「食事はまだか」と叫び、部屋の隅の戸棚の前にいった。「さて、なににしよう？　チェスか双六(すごろく)か？　双六にして、勝ち負けでそなたの運を占ってみよう」

ガウェインはほほえんだ。「もし、わたしが負けたら？」

「そうしたら、そなたの守護天使が幸運をすべて明日のためにたくわえているのだと考える――いずれにせよ、吉兆がでるというわけさ！」


年が明けた日、レゲッドの貴族たちとアーサー国王の廷臣たちが、領主ウリエンの城の大広間に集まった。王室が季節ごとに王国内のあちらこちらの王宮を巡る際、室内の調度品ごと移動するのがしきたりになっている。広間の造りはそれぞれの城で異なるが、つづれ織りや家具や食器類はいつもなじみのものだ。しかし、今回の祝賀はそうではない。というのも、アーサー王は客としてウリエンの城に滞在しているからだ。が、ひとつだけいつもと変わらぬ、なじみのものがあった。どこへいこうとも必ず、高座はペンドラゴンの、すなわち王家の紋章で飾られていた。

レゲッドの領主の新しい大広間はすばらしい造りで、淡い色のナラ材の羽目板が張られ、しっくいには塗料が塗られ、はねだし梁(はり)が突きでた精巧な屋根をしている。窓の最上段のガラスはなんと色ガラスで、つづれ織りに織りこまれた名も知らぬ植物や動物には異国情緒が漂っている。これらのつづれ織りは、ウリエンの妻モーガンが世間を騒がせた恥知らずな企てをするまえに選んだものだった。息子のイウェインは、つづれ織りも母親を思い出させるそのほかの品々とともに捨てさりたいといったようだが、ウリエンは明らかにもっと実際的で経済的な考え方をしたようだ。

広間そのものは華やかだったが、なかの雰囲気は沈んでいた。たまにあがる笑い声は硬くぎこちなかった。男たちも女たちも、互いにまっすぐ目を見ようとしない。この朝の主だった出席者たちが広間に現れはじめても、広間のなかの話し声はわずかに低くなっただけでつづいていた。しかし、騎士や貴婦人たちは端のほうに移り、高座の前に場所が開けた。あたかも舞台ができたかのようだ。その舞台に、ガウェインがベドウィアとともに静かに入ってきた。すぐに、弟たちとパーシヴァルがふたりのそばへいく。アグラヴェインとガヘリスは兄ガウェインの左、玉座からもっとも遠いところに立ち、ギャレスとパーシヴァルは国王と自分たち一族の関係を保とうとするかのように、落ち着かなげに高座の下でうろうろとしている。

ほぼ同時に、グドルーンが、世話役に指名された年配の婦人に案内されて入ってくると、高座をはさんでガウェインたちとは反対の側に立った。一年まえにチェスターに現れた、あの脅えた娘とは思えない。女官たちが王妃グウィネヴィアに付き添うときに着る深いばら色と白の服を着て、二本のみつ編みをそれぞれ頭の横で上品に丸くまとめている。あかぬけて落ち着いたようすは、王妃の女官たちと少しもちがわない。

さらに、父親がそばに付き添っていないということも、娘の状況が以前とはちがっていることを思わせた。グドルーンの父親グリムは、支持者の一団と下座のほうの扉から入ってくると、高座の前に開けた舞台の中央へまっすぐに進みでた。まるで王権に挑戦するとでもいうような態度だ。広間に集まっていた人々は道をあけてグリムとその仲間たちを通しはしたものの、廷臣たちのほとんどはグリムたちが通るときに背を向けた。そのくせ多くの者は、グリムたちが通りすぎてしまうと興味ありげにそのあとを目で追っている。

「だれだって、グリムとその一味は見るからにいやらしい悪党にちがいないと想像してたでしょうね」ウルフィン伯爵の娘ブロンシュフラーがいった。「ほら、汚らしくて、だらしなくて、黒ずくめといった姿——でも、みんなごくふつうだわ」

ブロンシュフラーは、オークニー一族から少し離れたところに、いとこのリアンとリネットとともに立っていた。オークニー一族に同情しているとわかるくらい近くではあるが、これからおこなわれる裁きに直接関わっていると思われない程度に離れていた。すでに、リアンが〈ギャレス卿の最愛の女性〉であることは公然の事実だった。三人は期待はずれの悪党どもをながめた。

「グリム自身はいかにもそれらしいじゃないの」リアンがいった。「どこで出会ったって〈不実な裏切り者〉だってわかるわ」

「まあ！　こんなに厚かましいことってあるかしら？」リアンの妹のリネットがグドルーンを目にして叫んだ。「あのあばずれ女！　あんなふうにガウェイン卿を陥れるなんて！　よくここへ出てこられたものだわ――ほんとうに恥知らずな女！」

「去年、あなたは、『若い娘が自分の家のなかで襲われるなんて、なんて恐ろしいことかしら』っていってたじゃないの」ブロンシュフラーがいった。

リネットは口を開いたが、またつぐんで、顔を真っ赤にした。

「もしそんなことがあったら、っていっただけよ」リネットは、不当な扱いに対して憤りの声をあげる娘だったが、その発言は必ずしも洞察力に裏打ちされているというわけではなかった。

「あなたとアグラヴェインの仲をとりもってあげたいわ」ブロンシュフラーがいった。「あなたは思う存分がみがみいうことができるし、アグラヴェインは好きなだけにらみつけることができて、ふたりともとても幸せになれるもの！」

「とにかく、グドルーンが今日また同じように訴えを繰り返すとは思えないわ」リアンがいった。「もしそんなことをしたら、〈善良な騎士たちを破滅に陥れた女〉と永遠にいわれつづけるでしょうし、みんなから相手にされなくなるもの。それじゃ、首をはねられたも同然――どこにも居場所がなくなるわ」

「実際、まさに今あなたがいったとおりの言葉でアグラヴェインはグドルーンを脅したのよ、首をはねてやる、ってね」ブロンシュフラーがむっつりといった。

「アグラヴェインはまちがってないと思うわ」リネットはぐいと頭をそらしていった。「もしガウェインの身になにか起こったら……」

「あの娘がなにをいおうと、ガウェインの身にはなにごとも起こらないと思うわ」ブロンシュフラーがいった。

「どういう意味?」リアンがたずねた。「ギャレスがいってたわよ、もしガウェインに罪があるということになったら、国王でさえガウェインを助けることはできないだろうって」

ブロンシュフラーは肩をすくめた。

「国王がなにかする必要なんてないわ。オークニー一族を見てごらんなさいな。あの人たちが、大切なガウェインに指一本触れさせると思う?」ブロンシュフラーは笑ったが、神経がぴりぴりしているのが見てとれた。「もし事態が悪いほうへ進みそうになったら、いつでも長椅子の下に隠れられるよう準備しておいたほうがいいわよ」

トランペットが鳴り響いた。高座の左手の扉が開き、国王と王妃が、ケイ卿、領主ウリエン、その息子イウェイン卿に先導されて入ってきた。そのあとに、コーンウォールのカドール公、ボールドウィン司教、侍者たちがつづいている。国王と王妃が高座の席に着き、ウリエンは国王の左側にすわったが、イウェインは高座を横切ってガウェインをとりまく一団に入った。広間に居並ぶ人々のあいだに低いざわめきが走ったが、その声の調子に驚きはなかった。カドール公の息子コンスタンティンは父の傍らに留まっていたが、むっつりと不機嫌な表情で、度々いとこたちのほうを見ている。できることならいとこたちのほうへいきたいといったようすだ。国王と王妃、その周囲の人々のこわばった表情から察するに、つい今しがたまで激しいやりとりをしていたが結論がでないままここへやってきたようだ。

司教は、国王夫妻の一段下にしつらえられた、国王よりやや左側に位置する自分の席の前に立っている。司教は肩越しにうしろを見て、全員がそれぞれの席に着いているのを確かめると、「今回はことに、国王とその廷臣たちが神の英知により正しい裁きをおこなうことができますように」と短い、あからさまな祈とうをした。全員が〈アーメン〉を唱え、司教が着席した。司教は、自分の祈りがはたしてききとどけられるだろうかと真剣に案じているような表情をしている。

それまで頭を垂れてすわっていた王が顔をあげ、あたかも友人に話しかけるような飾らない口調で話しはじめた。

「グリムが、娘の訴えの正しさを証明するためにガウェイン卿に課した試練のことを覚えていることと思う」国王がいった。「だが、その話をすすめるまえに、この件について今もなお裁きを求めているか否か、グドルーンにたずねなくてはならない。グリムの娘グドルーン、さあ、前に出て」

グドルーンが高座の前に進みでた。

「グドルーン」国王は優しい声でつづけた。「今もまだ、裁きをつづけたいと思っているかね？」

「よいか、なんじの訴えがとおれば、ガウェイン卿が死ぬということだ」ボールドウィン司教がいった。

「そして、その訴えが虚偽のものであれば、なんじは殺人を犯すことになる」

グリムが怒りで顔をゆがめた。「国王陛下、司教殿は娘を脅そうとしておられる。娘を脅して訴えを取りさげさせ、ガウェイン卿を無罪放免したところで、そんなものは絶対に認めませんからな」

国王はうんざりしたように片手をあげた。「司教は、この訴えがどれほど重大なものであるか思いおこさせているだけだ。これは司教の務めだ」国王は再びグドルーンのほうを向いた。「さあ、このまま裁きがつづけられることを望むかね？」

グドルーンは国王を見あげ、それからオークニー一族のほうを見やった。アグラヴェインがグドルーンをにらみつけたが、ガヘリスがアグラヴェインのくるぶしを蹴とばして、グドルーンを励ますようにほほえみかけた。グドルーンはガウェインを見ようとしなかった。父親のことは完全に無視しているようだ。沈黙がながれ、緊張が高まった。

ゆっくりと国王のほうへ向きなおると、グドルーンはいった。

「はい！」

ふいに、あえぎともため息ともつかぬ息が人々の口からもれて広間に広がったかと思うと、すぐにぴたりとやんだ。次になにが起こるだろうかと人々が身をこわばらせたのだ。グリムが一歩前に進みでた。娘の意志の堅さに驚いていたとしても、一瞬目の揺らぎに表れただけだ。グリムはすぐににんまりと笑った。

「今の娘の言葉をおききになったでしょう。訴えでたことが嘘だったら、これほどきっぱりと返事ができますかね？　もうこれで充分じゃありませんか」

「とんでもない」王妃は冷ややかにいったが、その声は震えていた。「この裁きにご自分で出した条件をお忘れですか？」

グリムはいんぎん無礼な態度で腰をかがめた。「王妃様、今回のことでわしは非難を浴びています。ですから、ぜひともガウェイン卿に身の証しを立てていただこうではありませんか――できるものなら！」

「ガウェイン卿」国王がいった。

ガウェインは顔をあげると、グリムの姿など目に入らないといったように、玉座の前に開けた舞台の中央に進みでた。そのさまに、グリムはあとずさるほかなかった。ふいに、ガウェインは晴れやかな楽天的な気持ちになった。高座の周囲の人々にほほえみ、国王と王妃に深々と頭を下げた。ガウェインの顔に迷いや恐れの影はない。

「最も敬愛する国王陛下ならびに王妃様」ガウェインはいった。「グリムの謎にこたえるまえに、今一度、申し上げておきたいのです。わたしは潔白であり、これからどのような運命が降りかかろうともこの身が潔白であるという主張を変えるつもりはありません。しかし、この娘さんがなぜ訴えを起こしたのかは理解できます。ですから、そのことでこの人をとがめるつもりもありませんし、こののちわたしのたた。

めに罰を受けることがないよう望みます」ガウェインはグドルーンのほうを向いた。グドルーンは、国王がガウェインを呼びよせた瞬間からガウェインをくいいるように見つめていたが、視線を床に落とした。

不満気なつぶやきが起こり、グリムのとりまきのひとりがいった。「さっさと答えをいえ！」すると、それを制するようなひそひそ声が起こる。ガウェインは敵の一団に向かって頭を下げた。

「そうしようと思っていたところです」ガウェインは再び高座に向かって話しはじめた。「王妃様、昨年一年間、わたしはあちらこちらを旅しました。そして、〈すべての女性が最も求めているものとは？〉という問いに対するさまざまな答えを耳にしました。富と宝石だという者がいれば、夫だという者があり、大勢の恋人だという者もいました。子宝に恵まれることだという者がいるかと思えば、子どもをもたないことだという者もいます。どこかで出会っただれかは、女が最も好きなものは秘密だといいました。秘密をひそかにもつことが好きなのか、秘密をだれかに話すことが好きなのか、わたしにはわかりませんが」驚き、楽しんでいるようなさざめきが人々のあいだを走った。ガウェインはかすかに笑みを浮かべた。「難しく考えることはない、答えは〈お世辞〉さ、といった男がありましたが、これは嘘にちがいない！」

この言葉をきいて男がひとり、ふたりおおっぴらに笑い、女がひとり、ふたり抗議するようなそぶりを見せた。広間の雰囲気は変わっていた。裁きの場に集まった人々は、ガウェインの話を芸人の話でもきいているかのようにきいていた。その裁きに命がかかっている人間の話とは思えなかった。王妃は困惑したように眉根を寄せて、ガウェインを見つめている。

グリムはぐるりと広間をにらみわたすと、せせら笑いながら、ガウェインに向かっていった。「騎士殿、もっとましな答えがないのなら、あなたの負けですな」

「もっとましな答えがなければ、確かにわたしの負けです」ガウェインがいった。「今お話ししたようなさまざまな答えは、常に、ひとつの望みがちがった形で表れているにすぎないのだというように思われました。わたしの尊敬するある女性は〈自由〉がほしいといい、別の女性は〈権力〉をほしがる女たちのことに触れました。また、ほしいものはすべてもっているといった女性は、自分がもっているもの――すなわち家族――のために働くからこそ、また、この世界での幸福はほかのだれでもない自分自身にかかっていると自覚しているからこそ、満ち足りているのだといっているように思われました……」

話し方がゆっくりになった。ガウェインはグリムを見つめ、王妃を見つめた。ふたりとも無表情に見つめかえした。王妃は、隣の椅子の肘掛けに手を伸ばし、国王の手首を握った。国王は、王妃を落ち着かせるかのように、もう一方の手を王妃の手に重ねた。

「〈権力〉、〈自由〉、〈独立〉」ガウェインは、心に浮かぶことを声に出しているといった話し方をした。「これらを望まぬ者などいるでしょうか？　自分自身の人生を導く権利……」再び完全な沈黙がながれ、人々はかたずをのんでいる。ガウェインは深々と息を吸った――この答えにまずまちがいはないだろう。が、もしだまされていたとしたら……。ガウェインは吸いこんだ息を吐きだすと、振り返り、グドルーンのほうに何歩かさがった。そのほうが広間の人々全体に話しかけられるからだ。あたかも手品の種あかしをするといったふうに、ガウェインは笑った。「というわけで、グリムの謎に対するわたしの答えはこれです。すなわち、すべての女性が最も求めるものとは――〈それぞれの生き方、つまり、自分自身の生き方〉、これにちがいありません！」

一瞬、凍りついたようにだれも声ひとつあげなければ、身じろぎひとつしなかった。次の瞬間、王妃が勢いよく立ちあがって拍手をすると、広間に大歓声が起こり、大騒ぎになった。人々は歓呼し、笑い、叫び、足を踏みならした。いぶかるような、ほっとしたような笑みが国王の顔に浮かんだ。ガへリスとブロンシュフラーは思わず駆けよって抱きあい、それから、ほんの冗談だというようなふりをした。リネットは「まあ、あの男ったら！」と叫んだ。もっとも、リネットがだれのことをいっているのかは、だれにもわからなかったし、また、だれもそんなことを気にかけてはいなかった。リアンとギャレスは手をとりあった。パーシヴァルは近くの女性にだれかれかまわずキスをした。グリムのとりまきは怒ったように互いの顔を見ているばかりで、自分たちが完全に負けたのだということさえまだわかっていないようだった。グリムはすっかり腹をたてて、まるで頭がおかしくなったかのようにわめいた。「悪魔が教えたにちがいない！」

大騒ぎしている人々のなかで、身動きもせず、静かにしている人間はふたりだけだった。

ガウェインはふいに信じられないほどの疲れを感じた。それまではしなければならないことがあり、それを騎士の名にふさわしく堂々と華麗にやってのける元気があった。ところが、やりおえた今、もうどのような小さなこともできそうになかった。ガウェインは腕にだれかの手が触れたのを感じた。見おろすと、グドルーンの白い顔があった。

「みんなはあたしになにかするつもりかしら？」

ガウェインはけだるげに首を振った。「なにもしやしない。心配はいらないよ。きみの身の安全はわたしが守る」

そのとき、イウェインがくると、グドルーンにかまわず、ガウェインを引っぱっていった。グドルーンはひとり取りのこされた。
二、三分たって騒ぎが落ち着いてくると、国王が立ちあがった。
「我が友よ」広間が再び、静まりかえった。しかし、このたびの静けさはまえの静けさとちがっていた。「我が友よ、ご覧のとおり、ガウェイン卿の答えは正しかった。よって、これは訴えを起こした者が定めた条件にかなうものであり、ガウェイン卿の潔白は証明された。異議はあるかね？」国王はグリムを見た。

「わざわざおたずねになることもありますまい！」

王妃は背筋をまっすぐ伸ばしてすわり、勝ちほこったようにグリムにほほえんでいた。グリムは、憎しみ以外のなにものでもない一べつをまっすぐ王妃になげると、背を向けて出ていくようなそぶりを見せた。

「あわてるでない！」国王は再び腰をおろした。「ガウェイン卿の潔白が証明されたということは、もうひとつの裁きをおこなわねばならぬということだ」

グリムはふてぶてしく国王を見すえた。

「おまえは、非の打ちどころのない名声を有する騎士に対して虚偽の訴えを起こした」国王はさらにつづける。「ガウェイン卿の命を奪おうと企んだことは明らかであり、よって、おまえの死を命ずる」

そのとき、ガウェインがいった。「陛下、この男の命とその娘さんの命をわたしに委ねていただきとうございます！」

国王はガウェインと目を合わせ、うなずいた。「よかろう」

「ほう？」グリムはまだ、あざけるような笑いを浮かべている。「ご自分の手でわしの首をはねないと気がすまぬということですかな？」

「いや」ガウェインがそっけなくいった。「自分の土地へ帰るがいい。もし本人が望むのなら、娘さんも。あなたがたの命も財産もほしくはない」ガウェインは王妃のほうへ向きなおった。「しかし、グドルーンが父親と帰ることを望まぬ場合には、王妃様にお願いがございます。どうか、これまでどおりおそばで御用をさせてやっていただきたいのです」

白いあごひげをたくわえた大柄な悪党は一瞬まごつき、心を決めかねているようだったが、グドルーンにいった。「おい、どうする？」

グドルーンは顔をそむけ、返事をしようともしなかった。

グリムはくるりと背を向けると、落ち着かなげにしている男たちの一団をかすめるようにして歩いていった。男たちはついさっきまでグリムのとりまきだった連中だが、巧みに少しずつグリムから離れ、今ではほかの人々の間にまぎれこもうとしていた。グリム自身、自分についてくる者などいないと思っているようだった。が、扉の前で立ちどまると、振り返った。

「ガウェイン卿、受けもどした人生をせいぜい楽しむことですな！　娘も好きになさるがいい。それにしても、娘のお陰でますます男をあげることになりましたな！」グリムは叫んだ。

グリムの悪意のこもった笑い声は、扉が勢いよく閉まると同時にぷっつりときこえなくなった。

「これでよし」国王は広間を見まわすとほほえんだ。「さて、新年の宴を始めなくてはな」

ところが、その朝の仕事はまだ終わっていなかった。ひしめきあっていた騎士や貴婦人たちがばらばらになって、そこここでおしゃべりを始めたとき、赤いローブをまとった人物が人々をかきわけて高座のほうへ進みでた。

「ガウェイン卿、あたしの願いごとを！」しゃがれ声が叫んだ。「あたしの願いごとだよ！」

「やれやれ！　このような調子では食事にありつけんな」ケイはいうと、人々の間から現れた老婆を見て、笑った。「なんということだ、まるで大聖堂の屋根からおりてきた怪物の彫刻ではないか！」

「あたしの願いごとを！」老婆は哀れっぽい声をあげ、同時にケイに鋭い視線をなげかけた。ケイは目をそらすと、あわてて人差し指と中指を交差させて、不吉なことが起こらぬよう幸運を祈った。

「おばあさん、今でなくてはなりませんの？」王妃がたずねた。

ところが、ガウェインは前に進みでると老婆の手をとり、王妃の前に導いた。

「王妃様、このご婦人は望みのものをわたしに要求する権利があるのです。といいますのも、この方がグリムの謎の答えを教えてくださったからです。最初から答えはすぐ近くにあったとはいえ、この方の助けがなかったら、おそらく答えを見つけることはできなかったでしょう」

「喜んで、なんでも望みのものを差しあげよう」国王がいった。

老婆はにやりと笑って、国王を見あげた。「いえいえ、国王陛下、ガウェイン卿からいただかなくてはなりません」

「神よ、我らに御加護を！」ケイが、迷信を信じているようなようすでつぶやいた。「あの老婆に恩義を受けずにすむなら、たいていのことはするよ！」

「それでは、望みをいわれよ」国王は老婆にいうと、優しい目でガウェインを見た。ガウェインは高座にあがり、かつてのように王妃の横にすわっていた。「わたしの甥はきちんと恩義に報いる。あなたの願いごととはなにかな？」

相変わらずにやにやと笑いながら、老婆が緋色のローブをうしろへ払いのけると、年に不釣り合いな黒と白の服が現れた。遠慮がなく、老いぼれていて、人を小ばかにしたような顔つきをしている。老婆は細めた目を王妃の女官たちの上に走らせてから、こたえた。

「ガウェイン卿との結婚を！」


大聖堂は結婚式の始まるずっとまえから、人であふれていた。祭壇に近いほうには身分の高い貴族のための長椅子があったが、それより身分の低い地主たちは、さまざまな職業の町民やお上りさんたちと下座の立ち見席を奪いあわなければならなかった。祭壇のすぐ前に仕切られた特別席には、背もたれと

肘掛けがあるだけでなくクッションまで用意され、それぞれの特別席に六人がすわれるようになってい
た。ところが、リアンとリネットとブロンシュフラーは、中央の通路際という好位置の特別席を確保し
て、これ以上詰めるのはごめんだといわんばかりにスカートやマントを広げてすわり、六人用の席を三
人で独占していた。ごくたまに、身分卑しからぬ殿方が期待をこめて近くをうろうろしても、リネット
からは悪意のこもった目でにらみつけられ、すっかり話に夢中になっているほかのふたりからは完全に
無視された。ここ数日、リアンは王妃のそばでお世話をしていたので、話してきかせることが山ほどあ
ったのだ。
「王妃様はとても怒ってらしたわ」リアンがいった。「ほとんど口もきけないくらい」
「王妃様はなんておっしゃったの？」ブロンシュフラーがたずねた。
「はじめは、ほかの願いごとをするようラグニルドを説得しようとなさったの」リアンがこたえた。「と
ころが、ラグニルドはただ笑って、『では、その代わりに王妃様が国王をあきらめてくださいますか？』
といったのよ――」
「まさか！」リネットが声をあげた。「なんて無礼な――」
ブロンシュフラーがリネットを肘でつついた。「静かに！　みんなが見てるわ！」
「それで、王妃様は、お城の礼拝堂でごく内輪の結婚式をあげることをお勧めになったの」リアンはつ
づける。「ところが、あのおばあさんときたら、頑として譲らないの。大聖堂で、国王の甥にふさわし
い式をあげなくてはいやだというの」

「まあ、ガウェインはそういう結婚式には賛成じゃないでしょうね。あの人は大騒ぎするのが嫌いだから」ブロンシュフラーがいった。

「ガウェインは、ラグニルドの望むとおりにすべきだといったわ。それで、ラグニルドはどのような結婚衣装を着たいか話しはじめたの――白と金色の衣装ですって」リアンが考えこむように頭を振った。いまだに、耳にしたことをそのまま信じることなどできない、と思っているようなようすだ。「王妃様は、もうちょっとラグニルドにふさわしいものを勧めようとなさったの。つまり、年相応のものをね。王妃様はとても如才なくおっしゃったのよ。ところが、ラグニルドはこれ以上花嫁にふさわしい衣装なんて考えられないといったの。それで、王妃様としては『そうね、八十歳ではなく、十八歳の花嫁なら』とおっしゃるしかなかったの。王妃様が完全に怒ってしまわれたのがわかったわ。あのおばあさんにもわかっていたみたい。王様は咳ばらいをしつづけてらしたわ。王妃様に、かっとしてはいけないということを思い出させるためにね――ガウェインはどうなろうとかまわないといったようすだったわ」

「かわいそうなガウェイン」ブロンシュフラーがいった。

「恥ずべきことだわ！」リネットが舌を鳴らした。「老婆がガウェインのような〈若い男の子〉と結婚するなんて！」

その〈若い男の子〉は、リネットよりまる七歳は年上だった。実際、リネットはこの三人の娘のなかでいちばん年下なのだが、だれに対しても、まるで年上の伯母かなにかのように話すのだった。

ブロンシュフラーがいった。「あのお調子者のガヘリスがすばらしいことに気がついたの。この結婚も思っているほど悪くない。なぜなら、お年寄りはどっちみち、そう長くは生きられないから、って。ところが、そういったら、ガウェインはきく耳をもたないという態度だったんですって！」

「まあ、ガウェインが？」リアンがいった。「それで、ガウェインはいったいなんていったの？」

「あら、もちろん、ガウェインは地団駄踏んでののしったり……というようなことはしなかったわ。とても冷静で、折り目正しい態度で、こういったそうよ。『婚約者の悪口はききたくない。でないと、彼女の名誉をこの手で守らなければならなくなるからな』ですって」

「ガウェインって、いつも絵にかいたようなおりこうさんね」リネットがいった。

「かわいそうなガウェイン！」リアンはハンカチで目をおさえ、静かに、悲しげに、鼻をかんだ。

「それほど悪くはないわよ」ブロンシュフラーがしたり顔でいった。「少なくとも〈かわいそうなガウェイン〉にはまだ首があるもの。だれだって思うはずよ――」

「花嫁がくるみたい」リネットは首を伸ばして、西側の扉のところでなにが起こっているのか見ようとした。


イウェインは、祭壇の――主祭壇ではなく、会衆席側の祭壇の――片側でガウェインの隣にすわり、ガウェインの気にさわらないようなことをいわなくてはと頭を悩ませていた。そして、ようやく、ラグニルドに対するいつわりのない、しかも文句のつけようがない褒め言葉を見つけたように思った。イウェインは咳ばらいをした。

「少なくとも彼女の貞節を疑う必要はないな」イウェインは努めて明るい声でいった。

ガウェインは険しい目でイウェインを見たが、イウェインに皮肉をいっているようなようすはなかった。

「無理に励ましてもらう必要はない」ガウェインは辛抱強くいった。「なんということだ！　まるであの晩と同じではないか――みんなが、わたしが死ぬことになるだろうと思っていたあの晩だ！」

イウェインはあいまいに相づちを打った。ガウェインの友人のほとんどがあのときと同じくらい見通しが暗いと思っていたが、それだけは口にできないということがわかっていたからだ。イウェインは入り口のほうに目をやった。

「花嫁の一行がやってくるようだ」友人の悲運にイウェインの声は重かった。

ラグニルドは白と金のドレスに身を包み（王妃が如才なく助言したにもかかわらず、襟ぐりが深くあいていた）、純潔を象徴する白い毛皮で縁どりをした、紺色のヴェルヴェットのマントを羽織って、足をひきずりながら大聖堂の通路を歩いてきた。両側から国王と王妃に支えられている。頭飾りは白いサテンで作られていて、兜のてっぺんを平らにしたような形だ。一面に金や宝石があしらわれた頭飾りの上に、真珠のついた金のティアラをつけている。見るからに重そうで、ラグニルドのやせた首には支えきれないように見えた。そのためかラグニルドは頭をがくがく揺らしながら足をひきずって歩いていたが、なにやらにんまりしている。グドルーンがラグニルドのマントの裾を捧げもっている。なぜかはわからないが、ラグニルドはグドルーンを気にいっていた。それで、王妃が自分の女官のひとりを花嫁の付き添いにと申しでたとき、ラグニルドはグドルーンを名指しで望んだのだった。

仕切りのむこうの聖歌隊席から、聖歌隊と楽士たちによる喜びに満ちた聖歌が響きわたった。


ガウェインに盛大な祝宴は控えようともちかけられると、ラグニルドは、王妃から内輪だけの結婚式をそつなく勧められたときとまったく同じように、はねつけた。

「なんだって、ガウェイン卿?」ラグニルドは叫んだ。小さな黒い目がばかにしたように鋭く光った。「見栄えのしない祝宴を開いて、おまえさんの花嫁が辱めを受けてもいいというのかい？ きのうの残り物かなんぞの冷えた食べ物ですまそうってのかい？」

「オークニーの総領の妻に与えられるべきものすべてが、あなたのものです」ガウェインはきっぱりといった。「今も、いつも」

そのようなわけで、アーサー王と領主ウリエンは、甥ガウェインの結婚を祝う盛大な宴を開いた。花嫁と花婿は主賓席の中央に堂々とすわっていた。アーサー王はラグニルドの右に、グヴィネヴィア王妃はガウェインの左にすわっている。ガウェインとラグニルドは恋人同士のようにひとつの皿から食べ、ひとつのカップから飲んだ。花嫁はすっかり浮かれている。歯の抜けおちたラグニルドが、魚や肉からパイや焼菓子までいかにもおいしそうに食べまくり、上等の赤ワインを何杯も飲みほし、そのあいだ、花婿や国王に冗談を飛ばしては笑っているさまは、なかなかの見ものだった。出席していた人々はみな、恐れおののきながら見つめていた。

「少なくとも、あの婦人がこのように長生きしているわけがわかった」ケイは自分の目が信じられないというように首を振った。「ワインのアルコール漬けになっていたのだ！」もっとも、ケイは声が高くならないよう注意していた。ガウェインが、妻に対する侮辱は一切許さないと明言していたからだ。

ワインはラグニルドのリウマチによく効いたらしい。というのも、食事が終わり、食卓が片づけられると、ラグニルドは手をたたいて音楽を求め、自分とガウェインが最初のダンスの先頭に立つのだといってきかない。

「いやはや！」ケイがいった。「確かに、陽気なばあさんだ。だが、まもなく寝室であのばあさんとふたりきりになるのがわたしでなくてよかったよ！」

「なんてことをいうの！」ケイの奥方がいった。「口をつぐんで、あのお気の毒なおばあさんに楽しませておあげなさいな。ガウェインはあの方のお陰で命が助かったんですもの、これくらいではまだ足りないくらいだと思っているにちがいないわ」

「これでもまだ足りないというのか？」ケイが暗い声でいった。というのも、ラグニルドには、いまだにケイを落ち着かない気持ちにさせるところがあったからだ。

花嫁の年齢とリウマチの体を考慮して、最初の曲は荘重でゆっくりしたものだった。ガウェインは夫人の体を腕で支え、一連の動きのなかでこれ以上ないほど礼儀正しく心を配って、夫人を導いた。たとえ心のなかでアリスのことを――ほんの十日ほどまえ、ガウェインの腕のなかで笑い声のように軽く、小鳥のように柔らかく身軽に踊っていたアリスのことを——考えていたとしても、ガウェインの態度や言葉には少しも表れていなかった。

しかし、その曲が終わると、ラグニルドが大声をあげた。「もう少しにぎやかなのを演奏しておくれ！結婚式だよ、葬式じゃないんだから」小さく丸く輝く目がケイの上でとまり、意地悪く見つめた。「さあ、坊や！」ラグニルドがケイの背中をどやしつけると、ケイはよろめき、驚きのあまり目が飛びださんばかりだ。「どっちのほうが跳ねまわるのが上手か、ためしてみようじゃないか！」

「もちろん、奥様ですよ！」ケイはあえぐようにいった。「誓ってもいい、あなたと踊ったらわたしは足が痛くて動けなくなります、そのあと十人くらいが同じようになるでしょうよ！」

ケイのいったことはまんざら誇張ともいえなかった。次の曲の最初の一音から、ラグニルドはスカートをたくしあげ、マントを腕に巻きつけて、猛烈な速度で踊りはじめた。

「まあ！」王妃がいった。「きっと発作を起こしてしまうわ」（それから、うしろめたく思いながら心のなかでいいたした——神様、お許しください。でも、わたくしは発作が起きることを望みます）

ところが、ラグニルドには発作を起こしそうな気配もなかった。事実、音楽が終わったときにほとんど息もきらしていないのには、だれもが舌をまいた。しかし、ケイのほうは、当分ダンスはたくさんだというようすをしていたため、花嫁は次にアグラヴェインを相手にし、さらにその次にガヘリス、というように新しく親族になった若者たち全員と踊った。ラグニルドは、踊れば踊るほど動きが速くなり、骨と皮ばかりの脚を振りあげ、具合のよくない足で軽快にステップを踏んでいる。老いぼれバッタのように広間のあちらこちらを跳ねまわって踊りながら、もっと速くもっと威勢よくと、楽士やほかの人々を駆りたてる。

　ガウェインは高座のそばに立ち、花嫁が人々の間を進んでいくときに来客たちが軽蔑するようなそぶりを見せはしまいかと、気をもみながら見ていた。が、心配は無用だった。笑い声があがっている――ラグニルドのいくところでは、必ず笑い声がわきおこっていた。もっとも、いつもラグニルドの声がいちばん大きかったが。人ごみの真ん中でラグニルドがなりふりかまわず跳ねまわると、あたかもラグニルドがおかしな伝染病をうつしてまわっているかのように、まわりの人々も楽しげに笑いさざめくのだった。まるで祝いにくるというより弔いにくる

ようなようすでやってきていた若者たちは、ラグニルドの跳ねまわる足に挑戦されると、しわだらけの手をとってラグニルドとともにダンスの輪のなかで勢いよく踊った。

「みんなといっしょに踊りましょうよ」ブロンシュフラーがガウェインのすぐそばにきていった。

ガウェインはほほえむと、ブロンシュフラーの手をとった。いちばん近くのダンスの輪に入ったとき、ブロンシュフラーが小声でいった。「あなたの助言に従っているところよ」

「助言などしたかい？」

ふたりは離れてお辞儀をし、また近づいて手をとり、歩調をとって輪のなかを進んでいく。

「ガヘリスのことよ」ブロンシュフラーがいった。

「ガヘリス？」ガウェインは驚いた。「あいつのことでどのような助言をしたろう？」

ブロンシュフラーは鼻にしわを寄せた。「ほら、あなたが勧めたでしょ……」

ふたりはまたお辞儀をすると、向きを変えて今までと逆のほうへ進んでいく。

「それで、あなたのいったことを考えてみようと思ったの」ブロンシュフラーはいいたした。

「もちろん、なにかが起こっていることはわかっていたよ」ガウェインがいった。

女性たちは輪の中心に向かってあとずさっていき、くるりと回って手をたたき、また外側へもどってくる。

「うまくいくなんて思えないわ」ブロンシュフラーは横目でガウェインを見た。そうでしょ？　とたずねているような響きがある。

ふたりは向きあい、両手を交差してつなぎ、くるくる優美に回る。

「そうかな?」ガウェインは眉をあげた。ふたりはさらにもう一度お辞儀をした。それから、ガウェインはブロンシュフラーの手をとって、自分の左側の男性へと送りながら、つけたした。「そうは見えなかったがな」

何分かたってから、ふたりはまたぐるりと一周してきて出会った。ガウェインに近づきながら、ブロンシュフラーは顔をしかめてなにかいおうと口を開きかけた。が、それより早く、ガウェインがいった。

「もう少し、あいつをじらしてやるといい。それであいつが傷つくようなことはないさ」

ブロンシュフラーは目を見ひらいた。「信じられないわ!」


夕方、ガウェインがひとりで窓辺に立っていると(ラグニルドはまだ少しも疲れを見せていなかった)、グドルーンがそばへきた。

「あたし、まちがってたわ。あなたは王子らしく見える」

「どうしてまた? こんな服を着ているわたしを初めて見たからかい?」ガウェインは、深紅のヴェルヴェットと金色の布で作られた服に触れた。

「いいえ」グドルーンはにこりともせずにガウェインを見つめた。「なぜあなたが〈騎士のかがみ〉といわれるのかもわかるわ」

ガウェインは笑った。「もうそういわれることはないだろう!」

グドルーンはしかたなしに笑みを浮かべた。

「グドルーン、なぜ、あのようなことをしたんだい？」

「父さんが怖かったからよ」グドルーンは顔をそむけた。声に力がなかった。

「そうではなくて、今回訴えを取りさげなかったことだ」グドルーンがすぐにこたえなかったので、ガウェインはさらにいった。「わたしの弟たちとなにか関わりがあるかい？」

「その……」グドルーンはちらりとガウェインを見あげた。わたしがいいだすまでグドルーンはそのようなことを考えもしなかったのだ、とガウェインは感じた。「あの人たちったらほんとうにひどいわ。パーシヴァルはあたしを修道院に入れようとするし、アグラヴェインは首をはねるぞと脅すし、ガヘリスは――」グドルーンの頬がピンク色に染まり、怒ったように息を吸いこんだ。「ガヘリスは、まるであたしがばかで、ふしだらな小娘だと思っているようなふるまいをするのよ！」

「もちろん、きみがだれからもそのように思われるいわれはない。そうだろう？」ガウェインはまじめにいった。

グドルーンは唇をかんだ。

「どうしてあんなふうにしなければならなかったか、わかるでしょう」グドルーンは顔をしかめ、憤慨してつづけた。「あの人たちが、あたしをうまくいいくるめたと思っていたからよ」

「それでは、弟たちを困らせるためなら、わたしが首を失ってもよかったということかい？」しかし、ガウェインには、グドルーンが嘘をついていることがわかっていた。

「あら、だってわかっていたもの――」グドルーンはふいに言葉をきると、ガウェインのうしろのほうを見た。「奥様のお世話をしなくては。あたしを探していらっしゃるみたい」グドルーンはこわばった声でいった。

ところが、ラグニルドはすぐそこまできていた。

「これはいったいどうしたことだい？　え、どうしたんだい？」黒い瞳が光って、ふたりを順番に見た。「あたしの夫はもう、ふしだらな娘と隅っこに隠れているのかい？」

声のきこえるところにいた者がみな、たちまち耳をそばだてたのも無理はない。ガウェインは神経をとがらせた。年寄りでもよい、醜くてもよい、好きなように飲み食いしてよい、もっと低い声で話してくれさえしたら。が、ガウェインはほほえむと、できるかぎりラグニルドのような力強い声を出してこたえた。

「これはこれは。実のところ、このお嬢さんに関する一切の疑惑については潔白を証明されたものと思っていましたがね！」

「ああ、そうだとも！」老婆は愉快そうにいった。「あたしのかわいい坊や、もしあの娘が今度またおまえさんのベッドにいるところを見つけたら、あの雷親父（かみなりおやじ）が思いついたのよりもっと難しい謎を出してやるからね！」

「いとしいラグニルド、心配はいりませんよ」ガウェインはこたえた。うんざりしているのが顔に出ていないだろうか……どうか出ていませんように、ガウェインは祈った。

ラグニルドは大笑いした。

「おやおや、ずいぶんうしろめたそうな顔つきじゃないか、坊や」ラグニルドは甲高い声で笑うと、ガウェインの頬を軽くたたいた。ラグニルドは首を振り、目をぬぐうと、グドルーンのほうへくるりと向きなおった。「さあ、あたしの寝室まで付き添っておくれ」それから、またガウェインに向かって声を張りあげた。「あたしの大切なガウェイン卿――」まるで広間中にきかせようとしているみたいだ。「すぐにきておくれ」

ガウェインは頭を下げた。「お望みのままに、ラグニルド」

もうこれ以上結婚の祝賀には耐えられない、とガウェインは思った。人々が、出ていくラグニルドに気をとられているあいだに、ガウェインは別の扉から広間を抜けだした。

中庭を走りぬけるとき、薄い靴底から伝わる冷たさが身にしみた。ガウェインは、ばかで臆病者だと自分のことをののしりながら、イウェインの部屋のある塔へ向かった。静かな部屋をいくつも通りぬけ、平屋根に出た。暗闇に包まれて、高ぶっていた気持ちがおさまってくる。ガウェインは屋根の端まで歩いていくと、胸壁にもたれた。冬枯れの土地を見わたしながら、ガウェインは凍てついた石の胸壁を握りしめていた。やがて、痛みと冷たさがひとつになった。

その夜は月がなかったが、凍りついた滝さながらにたくさんの星がダイアモンドをちりばめたかのように輝いていた――黒いヴェルヴェットに銀色の刺繍を施し、小さな宝石をちりばめたようだ。城の下の一方の側に町がある。雪におおわれた屋根が寄り集まり、黄色い明かりがそこここに見える。大聖堂の壁面の凹凸が白く浮きあがっている。町とは反対側に凍りついた川とローマ時代に造られた防壁の残がいがあり、そのむこう側の開けた土地が深い雪に埋もれている。

　夜も更けてから、ガウェインはようやく寝室の扉の前にやってきた。ガウェインとラグニルドが結婚式の夜を過ごすために調えられた部屋だ。扉を開きながら心のなかで、ラグニルドが眠っていますように、とガウェインは願った。しかし、ベッドは空で、天蓋のカーテンが開いていた。ラグニルドの紺色のマントが暖炉の前の椅子にかけられ、結婚衣装を着たままのラグニルドが鏡を見つめていた。鏡は、小さなテーブルの上に据えつけられたふたつの燭台の間につるされていた。ラグニルドは扉のほうに背を向けている。ガウェインは心を決めかねたまま、ベッドの影のなかに立っていた。

「さあ、きて」ラグニルドは振り返りもせずにいった。「明かりのなかに入って——もし、花嫁の顔を正視できるなら」

　ガウェインは恥じいり、とまどいながら、あわててロウソクと暖炉の火が投げる明かりの輪のなかに進みでた。が、ふいに驚いて立ちどまった。

　花嫁が話をしながら、両手をあげて白と金の頭飾りをもちあげ、頭を揺すると、豊かな黒い髪が輝きながら背中に流れおちたのだ。花嫁は頭飾りをテーブルの上におくと、振りむいた。ガウェインの目の前にいるのは、見たこともない女性だった。ラグニルドが着ていたときにはだらしなく垂れさがっていた衣装が、体に吸いつくようにぴったり合っている。その女性は頬を紅潮させ、大きく澄んだ目をしていた。

「お嬢さん、たちの悪い冗談はやめてください」ガウェインが冷ややかにいった。「妻はどこです?」

女はガウェインに向かってほほえむと、深々と膝を折ってお辞儀をした。「ガウェイン卿、ここにおりますわ」

〈雪のように白く、血のように赤く、カラスのように黒い〉幼いころ物語をきかせてくれた声がささやく。〈昔々、王子様がいました……〉ガウェインは心が痛んだ。「それがほんとうなら、どんなによかろう」思わず本音が口をついて出た。ガウェインは泣きたい思いだった。心のなかで思い描いていた理想の女性が、ときすでに遅しという今になって自分の前に現れたのだから。

「それでは、わたしのことを気にいってくださいましたの、ガウェイン卿?」相変わらずほほえんでいるが、今はガウェインに向かってほほえんでいるのではない。女は自分の白い手を見おろしていた。

「お嬢さん、からかわないでください。妻はどこです?」

女は左手をあげて、さきほどガウェインがラグニルドの指にはめた結婚指輪を見せた。「わたしがあなたの妻です。わたしはラグニルドよ」

暖炉の火がぱっと大きくなった。ロウソクの炎が大きく揺らいで上に伸びた。部屋のなかに温かい金色の光が満ちあふれた。

「あなたが?」ガウェインは片手を頭にあてた。

そのとき、女が笑った。その笑い声は若々しかったが、太古の森のように遠い昔の歓喜からほとばしりでていた。女は腕を広げて、自分自身をガウェインに見せた。

「わたしはラグニルドよ」女は繰り返した。「今日あなたが結婚したのはわたし。そして、イングルウッドの森であなたが出会ったのもわたし」女の笑みが広がった。「けれど、五月の夜明け、そして、その日の午前中いっぱい丘陵地帯で笛を吹いていたのもわたし。覚えてる?」女は五、六歩ダンスのステップを踏み、鏡の前で回った。あのとき裸足の娘たちは木々の間で音楽にあわせて踊っていたが、女はその曲をハミングしている〈……回る……回るよ……夏のあいだずっと……〉。女は鏡に映った自分の姿に向かってほほえむと、振りむいて、またガウェインと向きあった。「わたしは、三月のある朝、ウルフィン伯爵のお城の下の道にいたわ。エマウス修道院の院長にとっぴな話をきかせたのもわたし。そして、グリムの家であなたが見かけたのもわたし――料理人のおばあさんよ」女の顔から笑みが消えた。「そして、わたしはグドルーンの叔母でもあるわ。ほら、口論をして出ていったグリムの妹よ。わたしが謎の答えを知っていたのはそのためなの。兄は、わたしがあの家から逃げられるなんて夢にも思っていなかったのよ」

ガウェインには女の声がきこえていたが、その言葉はほとんど耳に入っていなかった。確かに今までこの女性に会ったことがない、それでいてその顔はよく知っているような気がする。これまで自分にほほえみかけてきたあらゆる顔のなかに探しつづけながら、けっして見いだすことができなかった顔。よく見ると、女の髪の色は黒ではなく、冬の終わりのブナの森のような紫がかった褐色をしている。肌の色も雪のように白くはなく、サンザシの花のようなクリーム色だ。何百年にも思えるほど時間がたってから、ガウェインは漠然と思った――なにかいわなくては。ガウェインはゆっくりと頭を振った。

「兄上とはあまり似ていらっしゃいませんね」

今度はラグニルドも笑わなかった。

「容姿という点では、血のつながりを感じさせるものはありませんわ」ラグニルドはまじめにこたえた。

ガウェインは必死で自分自身を奮いたたせようとした。ちりぢりになってしまった分別を、あてもなく取りもどそうとした。

「しかし、なぜ？　どうして？」

ラグニルドは暖炉の前の椅子に腰をおろすと、膝の上で両手を組み合わせた。

「すべてはあなたのせいなの」ラグニルドは、困惑しているガウェインに向かっていたずらっぽくほほえんだ。「わたしの兄がどういう人か、お話ししなくてはね――どういったらいいかしら？」ラグニルドは顔をしかめた。「古風っていうのかしら？　そう、とても昔風なの。兄は〈自由と力〉を信じているわ――つまり、自分の力を自由に使うべきだと考えているの。〈思いやりなど、弱さを表しているだけだ。公正な裁きなど、弱い者が強い者から奪うときの――強い者が自分の力で勝ちとったものを弱い者が奪うときの――ごまかしにすぎない〉そう思っているの。でも、あなたには、それがどういうことかわかるわよね」

ラグニルドは不思議な、熱のこもった表情で見あげた。ガウェインは冬景色の池のほとりに立っていた妹フローレイを思い出しながら、ラグニルドの話に耳を傾けていた。

「ああ、叔母のモーガン・ル・フェイと兄上が互いに同類だと感じたわけがわかる」

「はじめはわたし、気にかけていなかったの。モーガンが自分の策略に兄を引きこもうとしはじめたときでさえ、まだ。あの人も――」ラグニルドはためらっていたが、肩をすくめるといった。「わたしたちの同類――といったらいいのかしら――だったから。ところが、あのふたりがあなたの名誉を傷つけて、国王の支持者を仲間割れさせせようと企んだので、わたしは反対したのよ」ラグニルドは、その言葉を補うように両手をちょっとあげてから、椅子の肘掛けにおろした。「ほんとうは、わたしがあなたのベッドにもぐりこむはずだったの」ラグニルドはじっと見つめて、ガウェインの反応を待った。が、ガウェインにはなにを期待されているのかわからなかった。

「ベッドにいたのがあなたでなくてよかった」ガウェインはいった。

ラグニルドはほほえんだ。ガウェインの答えが期待を裏切るものだったとしても、なにかいうつもりはないようだった。

「わたしが嫌だといったので、あのふたりは驚いたようだったわ」ラグニルドはさらに話をつづけた。「そして、兄はかっとなって、毒づいたの。『おまえの美貌を利用させないなら、その美貌を取りあげるぞ』って、ね」ラグニルドは両手を広げて指を伸ばし、ゆっくり力を抜いた。「あのふたりは、やりたくないということをわたしに無理強いすることはできなかったけれど、一瞬のうちにわたしの容姿を八十年分も年とらせたわ。そして、兄は、わたしが兄に逆らってかばった男――つまり、あなた――が、醜い姿にもかかわらず喜んでわたしと結婚してくれなければ、けっして魔法がとけないようにしたの。兄は気のきいた冗談だと思ったんでしょうね！」ラグニルドの顔に初めて自信のなさそうな表情がちらりと浮かんだ。「わたし、魔法がとけるかどうか不安だったわ。だって、あなたがわたしの願いごとをかなえてくださるよう、罠にかけたようなものですもの。これでは〈喜んで〉ということにならないかもしれないと思ったの」ラグニルドは片手を頬にあてた。すべすべとした肌に触れて、確かめているかのようだ。

「もちろん〈喜んで〉にきまっている」ガウェインが抗議するようにいった。「あなたのお陰で命が助かったのだ。あなたの望むものをなんでも喜んで差しあげないとしたら、こんな情けないことはない」

「でも、わたしの罠だったんですもの。グドルーンは訴えを取りさげるつもりだったわ。でも、わたしはあの子を見つけて、わたしの身に起こったことを話してきかせたの。そして訴えを取りさげないよう説得したのよ。けっしてあなたに危害が加えられるようなことはないからと約束したので、あの子はわたしのいうとおりにしただけ――それに、訴えを取りさげてもらって放免されるより、正しい答えをして潔白を証明するほうが立派に見えるから、といってきかせたのよ。でも、やっぱり、罠は罠よ」

ガウェインは笑った。「今さらそのことに不平をいう気などない。それに、いずれにせよ、ものごとがどう見えるかということについては、おそらくあなたのいうとおりだったと思う」そこで、ガウェインの笑みが消えた。「もうひとつ知っておきたいことがある。ゴーム谷でのことはすべて、わたしを計略にかけるために準備されていたことだと思うが――おそらく、あの霧さえも。グリムは、わたしがあちらに向かっていることを知っていたにちがいない……」

「あなたが向かっていると知らせを受けていたのよ」ラグニルドが落ち着いた声でこたえた。

あのとき、わたしは母を訪ねた帰りだった。わたしがゴーム谷のほうへ向かっていることを知らせた者がいるとすれば、それは……。こんなとき、イウェインのようにすらすらと皮肉がいえればよいのに。

母親から裏切られたことを知って、ガウェインの言葉は凍りついていた。

「あの人が自分の役に立たないことがらに無関心だとは知っていたが、まさかわたしを憎んでいるとは思わなかった」しばらくして、ガウェインがぽつりといった。

「憎しみとはかぎらないわ」

「憎しみではない？　ほかのどのような理由があって、息子を殺そうとする母親がいる？」

ラグニルドは言葉を選びながらいった。「なぜなら、あなたが息子だからよ——領主の息子だから。なぜなら、あなたが——」ラグニルドは両手で奇妙なしぐさをした。なにかを意味しているようでもあり、なんの意味もないようにも見えた。「なぜなら、あなたがガウェインだからよ」

「どういうことかわからない」

「わたしにも説明できないわ」ラグニルドはかすかに笑みを見せた。

ガウェインにはわかった——修道院で会ったとき、フローレイにはけっして話そうとしないことががあったが、同じように、ラグニルドにもけっして話そうとしないことがあるのだ、たとえ本人が否定しようとも。ガウェインは頭を振った。意識の片隅にどっとよみがえってきた不安を振りはらおうとするようだった。

「そうだ」ガウェインは努めて明るい声でいったが、あまり明るくは響かなかった。「この世でいちばんの美女と結婚したというのに、まだキスもしていなかった！」ガウェインは椅子の前にひざまずいて、ラグニルドの両手をとった。

「なんですって？　これだから殿方は信用できないのよ。式をあげたときにあなたはわたしにキスしたじゃないの。もう忘れてしまったの？」

ガウェインは当惑し、「あのときの花嫁があなただとは、とても思えない――」といいかけて、言葉をきった。

ラグニルドがガウェインの左手をとって、裏返したからだ。ラグニルドは傷跡の残っている手のひらを見つめた。なぜか、傷跡に驚いたようだった。

「知らなかったわ」ラグニルドはガウェインの手首の内側に触れた。

「わたしの手相でも見るつもりかい？」ガウェインは落ち着かなげにいった。「そちらの手ではよくわからないだろう。どうかしたのかい？」

「なんでもないの。あなたにも不完全なところがあるということがわかってほっとしたわ、ガウェイン卿」ラグニルドはガウェインの手を放した。ラグニルドの笑みには自嘲的なところがあった。「ますますわたしが必要なかったということがはっきりしたわ。これほどの怪我をしながら無事だったなんて、あなたには守り神がついていたということですものね」

「必要なかっただって？　これまでずっと、あなたのような人を必要としていたというのに」ひざまずいていたガウェインは、その場に腰をおろすと、手のひらに残っているぎざぎざの傷跡を見た。傷を負い、ひどく恐ろしい跡が残ったが、マーリンは運がよかったといったのだった。「あなたなしの人生など考えられない」ガウェインはいった。

ラグニルドは両手をスカートの上において白い絹を握りしめ、頭を垂れたが、なにもこたえなかった。ガウェインのなかで、笑いがこみあげてきた。ラグニルドに愛しているといってもらいたかった。が、そのようなそぶりを見せずに口を開いた。

「もしわたしのことを好きになれなかったら、さぞかし辛かったろうね——魔法から解き放たれるためにわたしと結婚しなければならなかったのだから」

ガウェインがかまをかけていることがわかったので、ラグニルドはわざとかわした。「それほどでもないわ。わたしたち女は、自分の好みとは関わりなく、結婚という制度のなかで家から家に譲り渡されることに慣れているもの。それに、とても聡明な若者が、妻を愛するようになるのは結婚したあとだ、といっているのをきいたことがあるの……」

「なるほど、確かに少し時間がかかりそうだ」ガウェインはラグニルドの椅子の肘掛けをつかんで、両腕のなかにラグニルドを閉じこめた。「ラグニルド、式をあげてすぐに姿が変わらなかったのはなぜだい？」

「たぶん、魔法が完全にとけていないのよ」

「なんだって？」ガウェインはラグニルドを見つめた。「だが、条件は満たされたではないか！」

「兄の魔法の条件はね。でも、モーガンもこの件に一枚かんでいたでしょ。モーガンは、たとえあなたがほんとうにわたしを妻にしたとしても、わたしがほんとうの姿でいられるのは昼間か夜のいずれかだけだという魔法をかけたの。昼か夜かはあなたが決めなくてはならないわ」ラグニルドはまた先ほどのように暗い、森のように深遠な目でガウェインをじっと見つめた。「さあ、選んでくださいな」

ガウェインはほとんど考えこむこともなく、ほほえんだ。「さして難しいことではないな。夜のあいだほんとうの姿でいてほしい――わたしだけのために」

「それがお望みなの?」ラグニルドは少し物足りなさそうにいった。

「もちろん――そう思うが」ガウェインは自信がなくなった。「まちがっているだろうか?」

「いえ、いえ――それがあなたのお望みなら、それでいいのよ」ラグニルドはため息をもらした。

「どうしたというんだい? いってごらん!」

「つまらない虚栄心よ。それ以外のなにものでもないわ。また、まえのようにほんとうの姿で人々に見られたり知られたりするのはすてきだろうなと思っただけ……」

「わたしはなんてばかだ!」ガウェインが声をあげた。「自分のことばかり考えていた。もちろん昼間にしよう」ガウェインは笑った。「明日の朝、あなたがあの扉から出たときに、人々がどのような顔をするか想像もできないだろうね。夜になっても、どうということはない。あなたは相変わらず賢くて、機知に富んだわたしの妻なのだから」

ガウェインは再びラグニルドの両手をとった。ところが、ラグニルドは手を引っ込めた。

「いとしいガウェイン、あなたは嫉妬したり、わたしを疑ったりしないかしら?」

ガウェインは憤慨した。「あなたを疑うことなどけっしてない!」

「嫉妬したりもしない?」

ガウェインはゆっくりと立ちあがった。嫉妬? 世界中が日々、ラグニルドの美しさを堪能しているのを見、自分のためには干からびた抜け殻しかないと知りながら——嫉妬しないでいられようか? ガウェインはラグニルドから顔をそむけた。

「わからん」ガウェインは怒ったような口調でいった。「いったい、どうこたえてほしいのだ?」ガウェインは窓際へいってカーテンを押しひらくと、ラグニルドのほうを振り返った。「どうしてほしい?」

ラグニルドはなにもこたえずに、じっと自分の手を見つめている。

ガウェインは額を冷たいガラスに押しつけると、目を閉じた。ラグニルド、どうしてほしいのだ? なにをしてほしい? すべての女はなにを……。葉ずれの音がきこえ、サンザシの花の香りがした。

〈わしはあの女に与えた……すべて……女の欲するものを……〉

ガウェインは目を開いた。窓の前を斜めに切りとっている、雪の積もった破風のむこうに、大きな星がひとつあり、青みがかった黄色い光を寒々と放っている。ガウェインは振り返って、ラグニルドが自分を見つめているのに気づいた。

「あなたの人生だ、あなたが決めなくては。どちらを選ぶべきか、あなたがわたしにいうのだ。それとも、それではいけないのだろうか?」

「わたしが選んでいいの？」

「そうだ」

ラグニルドが立ちあがった。

「これで、わたしは自由の身になったわ。あなたのお陰で自由になったの」

ガウェインははじめ、ラグニルドがなにをいっているのかわからなかった。

「そう、自由に選んでいいのだ」

「そうじゃないの。もう、なにも選ばなくていいのよ。あなたは、すべての女が最も求めているものをくださったんでしょう？　つまり、わたし自身の生き方を。それで、魔法が完全にとけたのよ。これで、わたしはいつもほんとうの姿でいられるわ。なんの制限もないのよ。あなたがわたしにほんとうの姿を取りもどしてくださったの」


ラグニルドは太陽の光のなかに立っている。うしろのつづれ織りのなかでは、花をつけた木々の葉がそよ風を受けてかすかな音をたてている。鳥が枝の間で跳ねたり羽ばたいたりしている。金の――宝石を埋めこみ七宝細工を施した金の――おもちゃの鳥のようだ。小さな動物が幹の陰からそっと出てくる。ウサギやリス、二頭のノロジカ、ダイアモンドの首輪をつけたサル。鏡が反射する銀色の光がラグニルドの足元でさざ波のように揺れている。暖炉の火は赤いバラのように燃えあがっている。

〈バラのつぼみような〉鳥たちがうたう。〈かわいい娘、顔は輝き、唇は花びらのよう〉

まばゆい光を受けてガウェインの目がかすんだ。視界の端で空気がゆらめいている。しかし、ラグニルドの姿は一点の曇りもなくはっきりと見える。髪の一本一本、まつ毛の一本一本、二重のまぶた、唇の線、ふつうに見るよりもっとくっきりと見える。ラグニルドはほほえみを浮かべて、待っている。が、ガウェインはそのまま動かない。ガウェインの心のなかは、真っ白でなにもなかった。光が流れてきて、ガウェインの上にふりそそぎ、ガウェインを通りぬけた。が、ガウェインはまだ動かない。時間がある、今はたっぷりと時間がある。新しい世界が開けるだろう。が、もう二度とこの瞬間はもどってこない。完璧に調和がとれ、踊るような空気に縁どられたこの瞬間。ラグニルドの魔法で訪れた春の日射しに照らされ、世界中が冬だというのに花が咲いているこの瞬間。

## 『五月の鷹』新訳版へのあとがき

作者のアン・マーガレット・ローレンスは、一九四二年イギリスに生まれ、サウサンプトン大学で英語学を学びました。歴史的題材をもとに創作することを得意とし、一九八〇年に書いた『五月の鷹』で一九八一年にガーディアン賞次席に選ばれました。残念なことに、一九八七年に四十四歳という若さで亡くなっています。

『五月の鷹』は、ローレンスが〈アーサー王伝説〉を豊かな想像力で自在に膨らませて創りあげた作品です。「自分自身が楽しいと思い、ほかの人も楽しいと思ってくれるようなものを書こうと思っている。〈お話〉にくるんだ教訓を与えようなどとは思っていない」と語っていますが、その言葉どおり、『五月の鷹』は楽しい作品に仕上がっています。

アーサー王のファンであればもちろんのこと、〈アーサー王伝説〉に触れたことのない読者にとっても、『五月の鷹』は完結したひとつの物語になっており、独立した作品として楽しんでいただけるのではないかと思います。

〈アーサー王伝説〉はどのようにできあがったのでしょうか。

六世紀頃にアーサーあるいはそのモデルとなった人物がいたといわれていますが、確かなことはわかっていません。ただ、当時、サクソン族と戦ったブリトン軍に優れた王がいたという記録が残っており、その武勇が伝説となっていったようです。十二世紀になると、イギリスの年代記作家ジェフリー・オブ・モンマスが『ブリテン王列伝』のなかでアーサー王の生涯について記しています。それから数十年後、フランスの詩人クレティアン・ド・トロワが『ランスロット』や『パーシヴァル』といった作品を書き、〈騎士物語〉といわれるジャンルが創りあげられていきます。その後、詩人や散文作家によりアーサーと騎士たちの様々なエピソードが描かれ、それらが物語群としてまとめられていきます。十五世紀になると、そうした物語群などをもとにしてイギリスのサー・トマス・マロリーが『アーサー王の死』を書きました。この作品はアーサー王物語の集大成といわれています。現在〈アーサー王伝説〉として知られている物語は、このように中世に形作られたものです。

いわゆるアーサー王物語はアーサーの受胎にまつわる話から始まります。ウーサー・ペンドラゴンはマーリンの魔法の力を借りて、ゴルロイスの妻イグレインを奪います。このふたりの間に生まれたのがアーサーです。アーサーは、エクトル卿に預けられ、エクトルの息子ケイと兄弟同然に育ちます。やがて、成長したアーサーは石から剣を引き抜き、王となります。アーサーのもとに集まった優れた騎士たちは〈円卓の騎士団〉と呼ばれるようになり、旅に出て、冒険や恋愛を経験してはアーサーのもとに戻ってきます。けれど、アーサーが築きあげた王国の平和が崩れる日がきます。ガウェインの弟たちアグラヴェインとモードレッドの陰謀により騎士たちの結束にひびが入るのです。戦が起こり、多くの騎士たちが命を落とし、ついにはアーサーまで死んでしまいます。

『五月の鷹』は、十五世紀に書かれた物語詩『ガウェイン卿とラグニルドの結婚』を下敷きにしていると思われます。『ガウェイン卿とラグニルドの結婚』では、モーガン・ル・フェイの計略にかかって命を奪われそうになるのは、アーサー王です。ある騎士との戦いに敗れたアーサーは、〈この世で女が最も望むものは何か〉という謎に正しく答えられたら許してやろうといわれます。アーサーは一年の猶予を与えられて、謎の答えを探します。期限が迫ってきたある日、世にも醜い女が「ガウェイン卿との結婚を約束してくれるなら、正しい答えを教えよう」といいます。アーサーは気が進みませんが、ガウェインは結婚相手になると申し出ます。アーサーが謎に正解したあと、ガウェインはラグニルドと結婚式を挙げ……。

というわけで、ローレンスは設定を大胆に変えています。しかも、〈騎士の鑑〉といわれるガウェインが女性に暴行をはたらいた嫌疑で裁きにかけられるというショッキングな始まり方にびっくりさせられます。けれど、そのおかげで（？）ガウェインの魅力がより一層深く語られることになります。

物語の運びももちろんですが、ガウェインをはじめとする登場人物が生き生きと描かれている点もこの作品の大きな魅力です。登場人物のひとりひとりがくっきりと描きわけられ、そのウィットに富んだ会話はドラマを見ているようです。また、それぞれが抱える悩みや不安や望みは現代社会のわたしたちにも共通するものであり、中世を舞台にした物語でありながら身近な問題として読むこともできます。

宮廷や騎士の暮らしとは全く別の生き方をしている人々が描かれている点も、この作品の魅力です。素朴でありながら満ち足りた暮らしをしている農場の人々の描写は、この物語をより広い世界へと導き、奥行きを与えているように思います。

この作品には、〈アーサー王伝説〉の様々なエピソードを暗示するような事柄が出てきます。たとえば、モードレッド。フローレイが「あの人たちはモードレッドをとんでもない人間にしてしまった」といっているのは、のちにモードレッドが謀反を起こし、アーサーの王国を崩壊させることになるからでしょう。

また、妹のフローレイがガウェインの息子について思わせぶりなことをいう場面があります。〈ガウェインの息子〉とは、ガウェインと妖精の間に生まれたグイングラインのことではないかと思います。というのも、『無名の美男子』という物語のなかで、グイングラインの母親はグイングラインがガウェインの息子であることを隠しているからです。グイングラインは、自分の名前も父親の名前も知らない騎士として登場し、のちに冒険の旅に出て、自分の名前と父親の名前を知ることになります。『五月の鷹』のなかでフローレイが「でも彼女はあの人たちがその子に手を出せないようにしたから」と語っていますが、〈彼女〉とはグイングラインの母親であり、〈手を出せないようにした〉とは息子の出自を秘密にしたことを意味しているのではないでしょうか。さらに、ガウェインの息子たちについていえば、『アーサー王の死』に、ブランディリス卿の妹とガウェインの間にふたりの息子がいると書かれています。『五月の鷹』のなかで〈ブランディリスの妹〉は、ガウェインのひりひりするような思い出となって登場します。

ガウェインは、旅の途中、自分に呼びかけるマーリンの声を耳にします。そこで、マーリンは「わしはあの女が欲するものをすべて与えた。わしをあの女に縛りつける方法まで教えた」と語ります。これは〈アーサー王伝説〉のマーリンにまつわるエピソードを示しています。マーリンは美しいニニアンに恋をし、魔術を教えたばかりか、アーサーと宮廷を捨ててニニアンについていきます。けれど、マーリンを疎ましく思ったニニアンは、マーリンに魔法をかけて岩のなかの墓所（物語によっては〈塔〉）に閉じこめてしまいます。こうして、マーリンは二度と外に出られなくなるというものです。

ガウェインが泉で手にした金の鉢、それから、塚のような場所で出会った大男は、『イウェイン』の物語に出てくる泉と鉢と巨人だと思われます。イウェインは、ある林間の空き地で巨人と出会い、泉への道を教わります。イウェインが泉の水を金の鉢ですくってそばの大きな石に注ぐと、すさまじい雷雨が起こるというエピソードです。

またガウェインが海岸で目にした舟は、致命傷を負ったアーサーがアヴァロンへと向かう小舟を思わせます。

このように、『五月の鷹』のなかでさりげなく言及されている事柄は、〈アーサー王伝説〉の様々なエピソードを想起させる心憎い仕掛けとなっています。〈アーサー王伝説〉のファンにとっては、そういった細部を楽しむことのできる作品でもあります。

登場人物の系図についてお断りしておくことがあります。マロリーによる物語では、モードレッドは、アーサーとモーゴース（アーサーの異父姉であり、ガウェインの母）の間に生まれたということになっていますが、ジェフリー・オブ・モンマスの記述によれば、アーサーの妹アンナとロットの間に生まれた息子で、ガウェインの弟ということになっています。『五月の鷹』にはモードレッドの出自についての記述がなく、単にガウェインの弟としか書かれていないため、ロットの息子としました。

この作品を最初に翻訳したのは、三十年もまえのことです。当時、駆け出しの翻訳者だったわたしは、辞書と首っ引きで必死に訳しました。今回新訳版を出すにあたって原書を読み返しましたが、今読んでも手強い作品で、当時の苦労を思い出しました。当時なんとか訳しとおすことができたのは、ガウェインに強く惹かれたからです。ガウェインの魅力を伝えたい一心でした。アーサー王の騎士たちのなかで人気があるのは、フランスではランスロット、イギリスでは圧倒的にガウェインだといわれています。イギリス人作家のローレンスがこれほど魅力的なガウェインを描いたのもうなずけます。

今回、旧訳にかなり手を加えました。少しでも読みやすくなるよう、また、原文の美しさに少しでも近づけるよう心を砕きました。

『五月の鷹』は、原書も、三十年まえに刊行された邦訳も、ともに絶版になっています。クラウドファンディングにより今回の復刊がかないました。発起人のシオンさんと、多大な応援を寄せてくださった漫画家の山田南平さん、そして、ファンディングに参加し応援してくださったすべての方たちのおかげです。三十年まえに心惹かれたガウェインの物語を再び送りだすことができる幸せを、今しみじみと感じています。長年続けていると、こんな喜びを経験できることがあるのですね。ただただ感謝しかありません。ありがとうございました！

最後になりましたが、旧版の際、たくさんの助言をしてくださった金原瑞人先生と、資料を提供してくださった因埜信子さん、故小久保弘子さん、坂本響子さん、渡邉了介さんに改めて感謝を。

また、今回、この新訳版で大変お世話になったサウザンブックスの古賀一孝さんと安部綾さん、そして、丁寧に編集をしてくださった編集者の宮崎綾子さんに心からの感謝を。

斎藤倫子

二〇二一年七月

アン・ローレンス
1942年、イギリス生まれ。その作品に、15冊以上もの独創的なファンタジー小説、そしてガーディアン賞次席に選出された『五月の鷹』をはじめとする一連の児童書がある。44歳という若さで生涯を閉じたあともその作品は高く評価されつづけ、アメリカ、スウェーデン、日本でも刊行されている。

斎藤 倫子（さいとう みちこ）
児童文学を中心に翻訳をしている。おもな訳書に、『メイおばちゃんの庭』（あかね書房）、『シカゴよりこわい町』（東京創元社）、『サースキの笛がきこえる』（偕成社）、『ダーウィンと出会った夏』（ほるぷ出版）、『わすれんぼうのねこモグ』（あすなろ書房）、『彼方の光』（偕成社）など。

五月の鷹
2021年10月26日　第1版第1刷発行

著　者　アン・ローレンス
訳　者　斎藤 倫子
発行者　古賀 一孝
発　行　株式会社サウザンブックス社
〒151-0053 東京都渋谷区代々木2丁目23-1
http://thousandsofbooks.jp

装　画　シャーリー・フェルツ
デザイン　宇田 俊彦
編　集　宮崎 綾子
DTP　STUDIO d3
印刷・製本　シナノ印刷株式会社

Special thanks
鈴木佳奈、一条由吏、吉村多恵子、音食紀行

落丁・乱丁本は交換いたします

ISBN978-4-909125-31-6　C0097

# THOUSANDS OF BOOKS

## 言葉や文化の壁を越え、心に響く１冊との出会い

世界では年間およそ 100 万点もの本が出版されており
そのうち、日本語に翻訳されるものは 5 千点前後といわれています。
専門的な内容の本や、
マイナー言語で書かれた本、
新刊中心のマーケットで忘れられた古い本など、
世界には価値ある本や、面白い本があふれているにも関わらず、
既存の出版業界の仕組みだけでは
翻訳出版するのが難しいタイトルが数多くある現状です。

そんな状況を少しでも変えていきたい――。

サウザンブックスは
独自に厳選したタイトルや、
みなさまから推薦いただいたタイトルを
クラウドファンディングを活用して、翻訳出版するサービスです。
タイトルごとに購読希望者を事前に募り、
実績あるチームが本の製作を担当します。
外国語の本を日本語にするだけではなく、
日本語の本を他の言語で出版することも可能です。

ほんとうに面白い本、ほんとうに必要とされている本は
言語や文化の壁を越え、きっと人の心に響きます。
サウザンブックスは
そんな特別な1冊との出会いをつくり続けていきたいと考えています。

http://thousandsofbooks.jp/